ЛЕГКИЙ СПОСОБ НАСЛАЖДАТЬСЯ АВИАПЕРЕЛЕТАМИ

ОТ АВТОРА МИРОВОГО БЕСТСЕЛЛЕРА
«ЛЕГКИЙ СПОСОБ БРОСИТЬ КУРИТЬ»

The Easyway to Enjoy Flying

Allen Carr

PENGUIN BOOKS

АЛЛЕН КАРР

ЛЕГКИЙ СПОСОБ НАСЛАЖДАТЬСЯ АВИАПЕРЕЛЕТАМИ

ОТ АВТОРА МИРОВОГО БЕСТСЕЛЛЕРА «ЛЕГКИЙ СПОСОБ БРОСИТЬ КУРИТЬ»

ДОБРАЯ КНИГА

Москва 2007

УДК 111.159.9

К28 КАРР А.

ЛЕГКИЙ СПОСОБ НАСЛАЖДАТЬСЯ АВИАПЕРЕЛЕТАМИ/Аллен Карр; пер. с англ. — М.: Издательство «Добрая книга», 2007. — 160 с.

ISBN 978-5-98124-330-1

Перевод с англ.: Э. Малиничева
Ведущий редактор: Л. Крылова
Редактор: Е. Рудакова
Корректоры: Т. Шамонова, О. Вартанян
Верстка: Т. Делицина

Издательство «Добрая книга»

Телефон для оптовых покупателей: (495) 694-20-78
Адрес для переписки/e-mail: mail@dkniga.ru
Адрес нашей страницы в Интернете: www.dkniga.ru

Аллен Карр, автор бестселлера «Легкий способ бросить курить», успешно применял созданную им методику для решения различных психологических проблем — от снижения веса до избавления от алкогольной зависимости.

«Легкий способ наслаждаться авиаперелетами» поможет вам преодолеть страх перед полетами, превращающий отпуск или командировку в сущий кошмар, снять естественное внутреннее напряжение и превратить воздушное путешествие в приятное и радостное событие.

Сделано в России.
ISBN 978–5-98124–330–1

© Allen Carr's Easyway (International) Limited, 2000
© Издание на русском языке, перевод на русский язык. Издательство «Добрая книга», 2007

ООО «Издательство «Добрая книга», 119180, г. Москва, ул. Б. Полянка, д. 28, стр. 1. Адрес для переписки/e-mail: mail@dkniga.ru. Подписано в печать 27.07.07 г. Формат 84×108/32. Печ. л. 5,0. Доп. тираж 15000 экз. Заказ № 1320.
Отпечатано в ОАО «Можайский полиграфический комбинат». 143200, г. Можайск, ул. Мира, 93.

Содержание

Об авторе

Главная идея, красной нитью проходящая через книгу Аллена Карра, — это преодоление страха. Ценность открытого им «Легкого способа» заключается в том, что он помогает избавиться от фобий и тревог, которые мешают людям в полной мере наслаждаться жизнью. Это ярко демонстрируют книги Аллена Карра: «Легкий способ бросить курить», «Единственный способ бросить курить навсегда», «Легкий способ сбросить вес», «Как помочь нашим детям бросить курить».

Привычка выкуривать по 100 сигарет в день доводила Аллена Карра, в прошлом успешного бухгалтера, до отчаяния, пока в 1983 году, после бесконечных попыток бросить курить, он, наконец, не открыл то, чего так долго ждали многие, — «Легкий способ бросить курить». В настоящее время он создал сеть клиник по всему миру, которые пользуются заслуженной репутацией благодаря тому, что успешно помогают людям бросить курить. Его книги изданы более чем на 20 языках, кроме того, существуют их видео-, аудио- и CD-версии.

Десятки тысяч людей обратились за помощью в клиники Аллена Карра, и более 90% из них успешно бросили курить. Он обещает своим пациентам, что они с легкостью смогут отказаться от никотина, а в случае неудачной попытки им вернут деньги, потраченные на курс лечения. Перечень клиник Аллена Карра приводится в конце книги. Если вам понадобится помощь, обратитесь в ближайшую к вам клинику. В некоторых клиниках Аллена Карра также проводятся тренинги для тех, кто хочет контролировать свой вес. Кроме того, предлагается обслуживание корпоративных клиентов, что дает возможность компаниям легко и эффективно бороться с курением.

Посвящается Адель Мирер.
Она помогла мне осознать, что существуют
миллионы людей, для которых полет
на самолете не удовольствие,
а кошмарный сон.

Предисловие

На протяжении более 20 лет я была убежденной куриль-
щицей, выкуривавшей по 60 сигарет в день. Как и большинство заядлых курильщиков, я несколько раз пыталась
бросить курить. Сначала я проверила, есть ли у меня сила
воли, и быстро обнаружила, что она у меня отсутствует.
При последующих попытках я прибегала к акупункту-
ре, гипнозу, антиникотиновым леденцам и пластырям.
Оказалось, что все эти способы действовали лишь корот-
кое время. Не то чтобы я лезла на стенку, но меня постоянно преследовало чувство, что я курильщик, которому
больше не разрешают курить. Как и у большинства быв-
ших курильщиков, порой у меня появлялось неодолимое
желание выкурить сигарету. Вскоре я вернулась к своим
60 сигаретам в день.

Я слышала об Аллене Карре. Я видела его по телевидению и даже была знакома с людьми, успешно бро-
сившими курить после обращения за помощью в его
клиники. Одну из его книг мне купил муж. Сейчас я понимаю, насколько была глупа, что не потрудилась прочесть ее раньше, но по натуре я скептик. Я уже тогда зна-
ла, что курение убивает меня и при этом на него уходит
масса денег. Проблема была не в том, чтобы перестать
курить. Я могла сделать это. Но я не понимала, каким
образом книга может помочь мне избавиться от чувства
потери опоры и друга.

Три года спустя после последней попытки избавиться от курения, разыскивая какую-то вещь, я случайно на-
ткнулась на эту книгу. В то время я уже потеряла надежду бросить курить, поэтому мне трудно сказать, почему
я начала ее читать. Книга меня захватила. Мне казалось,
что я читала не о жизненном опыте Аллена Карра, а о своей собственной биографии. Прочитав книгу до конца, я вы-
курила свою последнюю сигарету, и у меня уже никогда
не появлялось желания закурить вновь.

Помимо курения в моей жизни были еще две проблемы, доставлявшие мне неприятности. По иронии судьбы, одна из них состояла в том, что уже с 20 лет я вела непрерывную борьбу с жировыми отложениями на своем теле. Хотя какая уж тут ирония, если большинство замужних женщин среднего возраста с двумя детьми имеют те же проблемы. Однако я всегда утверждала, что начала и продолжаю курить, прежде всего, потому что хочу сбросить вес.

К тому времени Аллен Карр стал моим гуру. Однако когда я узнала, что его методика эффективна и для коррекции веса, что сбросить лишние килограммы и быть такой, как хочется, так же легко и радостно, как и перестать курить, я снова отнеслась к этому скептически. В конце концов, сам же Аллен говорит:

«Курение — это зараза, отрава и убийца, тогда как принятие пищи — это процесс приятный, удивительный и поддерживающий жизнь».

Мне стыдно теперь, что я усомнилась в словах Аллена Карра. Он абсолютно прав. Вы, вероятно, уже догадались, что моей третьей проблемой была маниакальная боязнь летать на самолетах. Аллен подробно объясняет, почему курильщики, алкоголики и прочие наркоманы вынуждены прибегать ко лжи и самообману. Мне не нужно объяснять своим товарищам по несчастью, что нас гораздо меньше, чем тех, кто подвержен страху перед авиаперелетами. Я не стану в деталях описывать ту панику, которая охватывала меня при одной мысли, что мне нужно лететь, и ту изощренную паутину лжи, которую я плела, чтобы избежать полета, поскольку все это подробно излагается в книге, которую вы держите в руках. Теперь я понимаю, что обман, к которому я прибегала, не только вводил меня в заблуждение, но и не убеждал ни мою семью, ни моих друзей. Просто они были излишне вежливы и искренне сочувствовали, чтобы дать мне понять, что мой страх летать лишает этого удовольствия не только меня, но и их.

Аллен сказал мне, что он тоже когда-то панически боялся даже подумать о самолете, а сейчас полет для него не пугающее суровое испытание, через которое нужно пройти, чтобы потом получить удовольствие от отдыха за границей, а интересная, приятная и увлекательная часть отпуска или деловой поездки. Я спросила у него, что способствовало таким переменам. К тому времени я верила Аллену настолько, что у меня не было причин сомневаться в его словах. Тем не менее я пребывала в растерянности. В конце концов, люди курят и переедают, часто не желая этого. А вот полет — это совсем другое дело, многие и хотели бы получить от него удовольствие, но не могут этого добиться.

Мы беседовали два часа. Не забудьте, что до того времени я не только не летала, но даже не осмеливалась поехать в аэропорт или подумать о том, чтобы заказать билет на самолет. Когда мы закончили нашу беседу, у меня в глазах стояли слезы, но, подчеркну, это были слезы радости. Мне не терпелось дождаться отпуска, чтобы наконец заказать билет на самолет и провести отпуск за границей. Дело было не в том, что я нуждалась в отдыхе, а в том, что к концу нашей беседы я уже утратила чувство страха перед полетами, и мне нужно было это доказать самой себе.

Адель Мирер

1

Итак, кто хочет полететь
за границу?

Это было то время, когда отпуск в солнечных краях — на Майорке или Канарах, а для более преуспевающих людей и во Флориде или на Багамах, — являлся не только привычным делом, но становился относительно недорогим и модным удовольствием.

Я недавно получил специальность бухгалтера. Доход у меня стал выше, автомобиль и дом были немного лучше, чем в среднем у моих друзей, а моя закладная — несколько ниже. Однако пока я считал две недели отпуска на популярной и комфортабельной базе отдыха в Богнор Регис* лучшим отдыхом в моей жизни, мои друзья уже блаженствовали под солнечными лучами Средиземноморья.

Почему я не следовал моде? Может быть, потому, что я был верен британской индустрии отдыха? Нет. Или потому, что погода в Богноре лучше, чем на Средиземном море? На этот вопрос вообще не стоит отвечать. А может, потому, что я действительно получал удовольствие от двухнедельного отпуска только на базе отдыха? Надеюсь, что я не выгляжу снобом, но отвечу: «Нет». Или все дело было в еде? Я не сомневаюсь, что еда в Средиземноморье была вкусной и полезной, как и многое, что доступно на экзотических курортах в наши дни, но в конце каждого отпуска я с большим облегчением вновь наслаждался домашней стряпней. Тогда напрашивается ответ: вероятно, все дело в цене, и две недели на базе отдыха в Богноре стоили вдвое дешевле, чем двухнедельный отпуск на Средиземном море. Удивительно,

---

* Богнор Регис — модный курорт в Англии.

но все обстояло как раз наоборот. В итоге, когда я все-таки набрался смелости, чтобы предпринять свой первый полет (простите, я все еще обманываю себя: когда меня впервые заставили совершить этот ужасный перелет), мы провели две недели на Майорке. Включая обратные билеты и полный пансион в четырехзвездочном отеле, это стоило нам 32 фунта стерлингов на взрослого и вполовину меньше — на детей.

Я понимаю, что, должно быть, похож на одного из персонажей «Монти-Питона», который говаривал: «Я припоминаю времена, когда можно было нанять экипаж с четверкой лошадей до «Романо», насладиться балетом в «Ковент-Гардене», затем поужинать в «Ритц» и у тебя еще останется полкроны мелочи»*. Все дело в том, что отдых в Богноре обошелся мне вдвое дороже поездки на Майорку и, вероятно, именно поэтому этот курорт стал непопулярен. Но это их проблема, а не моя. Истинная причина, по которой я всерьез не задумывался об отдыхе за границей, была в том, что я боялся авиаперелетов, хотя в то время еще не осознавал этого факта. Спустя 30 с лишним лет мне трудно вспомнить, что я на самом деле тогда чувствовал, но я очень хорошо знаю, что алкоголики, никотино- и наркозависимые люди способны обманывать себя.

Я допускаю, что любой, кто взял на себя труд прочитать эту книгу, не просто страдает от дурных предчувствий, связанных с полетами, а сочтет слово «паника» более подходящим для описания своего состояния. Однако могу с уверенностью сказать, что в то время именно слова «дурное предчувствие» лучше всего отражали мое истинное состояние. В самом деле, я ведь предпочел служить именно в военно-воздушных силах, а не в пехоте или на флоте. Правда, единственным самолетом ВВС, который я увидел за два года службы, был «Спитфайер»**, установленный

---

* «Монти-Питон» — британский телесериал, шедший в конце 60-х — начале 70-х годов XX века; «Романо» — сеть популярных ресторанов с традиционной итальянской кухней; «Ковент-Гарден» — Королевский оперный театр; «Ритц» — сеть отелей и ресторанов.

** «Спитфайер» — истребитель времен Второй мировой войны.

у входа на базу в Пэдгейте*. Я все-таки подал заявление о желании учиться на пилота. Излишне говорить, что меня не приняли. Но все дело в том, что я не написал бы такого заявления, если бы в то время действительно боялся полетов.

Однако вернемся к моему отпуску. Предложение исходило от одной нашей знакомой пары и поражало дешевизной. Неужели всего 32 фунта за две недели, включая перелет и полный пансион? От такого отдыха мы не могли отказаться. Перед отъездом мы несколько раз встречались семьями и проводили вечера, возбужденно планируя отпуск и предвкушая, как прекрасно проведем время. Я, кстати, очень рекомендую подобную практику. Даже тщательно спланированный отпуск может оказаться сплошным бедствием, но радостное возбуждение от его ожидания (изумительного отпуска, а не бедствия!) можно переживать много раз до начала самого события.

ОТ МРАЧНОГО ПРЕДЧУВСТВИЯ ДО ПАРАНОЙИ

---

* Пэдгейт — база ВВС Великобритании времен Второй мировой войны, располагалась в окрестностях Уорингтона, крупнейшего города графства Чешир.

2

От мрачного предчувствия до паранойи

Все мы, включая наших детей, не только впервые летели на самолете, но и первый раз в жизни собрались провести экзотический отпуск за границей. Однако наши встречи перед отпуском меня отнюдь не воодушевили, а напротив, превратились в адские муки. Еще задолго до отлета мое мрачное предчувствие, пройдя стадию обычного страха, развилось в паранойю. Я понимал, почему боялся, и хотя знал, что по статистике самолеты — самый безопасный вид транспорта, меня одолевали мысли обо всех тех вещах, которые могут выйти из-под контроля. Таких вещей, как оказалось, набралось множество, а на высоте 10 тыс. м достаточно и одной из них.

В течение недель, предшествовавших полету, я не мог сосредоточиться днем, а ночами лежал без сна, представляя себе все, что может случиться. Это может показаться смешным, но больше всего я боялся, что у меня не хватит мужества вынести это испытание. Реальный полет стал для меня сущим кошмаром. Сейчас я уже смутно помню детали, но мне не забыть, что чувство паники, охватившее меня, не смягчилось даже восьмичасовой задержкой рейса, которая завершилась сумасшедшим бегом по взлетно-посадочной полосе к самолету, причем одной рукой я волок за собой старшего ребенка, а под мышкой тащил младшего.

Я обычно не страдаю клаустрофобией, но самолет выглядел очень маленьким. Я надеялся, что будет не страшнее, чем в телефонной будке, но мои надежды вскоре рассыпались в прах. Внутри все казалось просто микроскопическим, и когда входной люк закрылся, возникло ощущение, что гигантская рука сдавила мне горло. Весь полет я провел в состоянии панического страха.

Вскоре мне стало ясно, что взлетная полоса имеет недостаточную длину для разбега самолета, что во всем виноват я, что мне не надо было настаивать на том, чтобы брать с собой клюшки для гольфа. Явно, есть проблемы, связанные с перегрузом. Я толковал каждый резкий звук и скрип в гидравлической системе, каждое повышение или понижение звука двигателя, каждое изменение высоты и направления полета как надвигающуюся катастрофу. Даже довольно приятный монотонный звук, издаваемый системой оповещения, означал неминуемую гибель. «Бип» — о, Боже! Капитан собирается объявить, что мы вот-вот рухнем в море! Секунды паники казались часами, прежде чем мы поняли: нам всего лишь хотят сообщить о том, что теперь мы можем курить, или расстегнуть ремни безопасности, или сейчас будут разносить напитки, еду и беспошлинные товары.

Наконец, мы благополучно приземлились. Самолет быстро снижал скорость, по моим подсчетам, с 800 с лишним км/ч до 96 км/ч, я испытал огромное чувство облегчения и подумал: «Если сейчас что-нибудь и выйдет из строя, то мы, по крайней мере, останемся живы». Когда же самолет остановился, наступил момент невыразимой эйфории. Мы благополучно долетели. Теперь я мог с наслаждением провести две недели на солнце, прежде чем полечу обратно. Радость закончилась, когда до меня дошел смысл последних трех слов. Еще до того, как я покинул самолет, меня начал беспокоить обратный полет, и две недели меня преследовала и изводила мысль о нем.

Мне кажется, что общество в целом слишком несерьезно относится к людям, страдающим от страха перед полетами, который я далее буду называть СПП. Весь год мы выворачиваемся наизнанку, чтобы заработать себе награду в виде пары недель отдыха в каком-либо экзотическом месте. Откладываем на оплату этой поездки значительную часть нашего ежегодного заработка. Мы не виноваты в том, что страдаем от СПП. Наш ежегодный отпуск становится не наградой, а кошмаром, который длится больше двух недель. Этот кошмар начинается в тот момент, когда мы обрекаем себя на полет, и тянется до тех пор, пока обратный перелет благополучно не завершится. Но даже тогда проблема не исчезает, так как вы знаете, что вам придется проходить через это страдание всю оставшуюся жизнь.

Я ОБЕЩАЮ, ЧТО НЕ ПРИДЕТСЯ!!!

Не только страдать не придется. Я заверяю вас, что к тому времени, когда вы закончите читать эту книгу, вы, как и Адель, будете «рваться в бой» и с нетерпением ждать вашего следующего полета, даже если он будет для вас первым. Однако это произойдет только при одном условии — вы будете следовать всем моим рекомендациям, первая из которых гласит:

ВЫПОЛНЯЙТЕ ВСЕ РЕКОМЕНДАЦИИ.

Каждая рекомендация, которую я вам даю, очень важна. И самая главная первая, потому что, следуя ей, вы не сможете потерпеть неудачу.

Единственную трудность может представить выполнение двух следующих рекомендаций. Вторая рекомендация гласит:

ОСВОБОДИТЕСЬ ОТ ПРЕДВЗЯТОСТИ.

Нам всем нравится считать себя людьми широких взглядов, не имеющими предубеждений, восприимчивыми к новым веяниям, и вы, должно быть, не подумав, самодовольно пропустили эту рекомендацию. Если это так, то вы точно не выполните ее. Мне нужно, чтобы вы скептически оценивали и подвергали сомнению не только все то, что я говорю вам, но и все, что вы слышите от других, не важно, от кого именно. В особенности я настаиваю, чтобы вы до тех пор, пока не прочтете всю книгу, не пересматривали свои собственные взгляды и даже не решали, действительно ли вы испытываете страх перед полетом.

На этом этапе вы, вероятно, напуганы. Возможно, это связано с тем, что вы боитесь потерпеть неудачу или что я уговорю вас совершить полет, который обернется бедствием. Я имею в виду не то, что самолет разобьется, а лишь то, что полет станет для вас психологической травмой.

Сейчас вам трудно это понять, но страх перед полетом — это чисто психологическая проблема, а раз так, то любой может ее преодолеть. Аэропорты — это волнующие и притягательные места, и полет может доставлять радость при условии, что вы не страдаете от СПП. Если вы действительно боитесь полетов, то тогда они для вас сущее проклятие. Вы находитесь в счастливой ситуации, когда можете очень многое приобрести и абсолютно ничего не потерять. Самое печальное, что может случиться с вами, — это то, что мне не удастся избавить вас от страха. Но и тогда ваше положение не ухудшится.

Если вы приступаете к чтению этой книги с чувством обреченности и уныния, то это еще не значит, что вас ждет неудача, но вы делаете ее гораздо более вероятной, и вам, скорее всего, придется перечитывать книгу, возможно даже несколько раз.

Итак, моя третья рекомендация гласит:

НАЧИНАЙТЕ В ДОБРОМ РАСПОЛОЖЕНИИ ДУХА.

Сейчас я в двусмысленной ситуации. Если бы с самого начала мне удалось убедить вас, что эта книга позволит всем, кто страдает от СПП, избавиться от чувства страха, вы уже находились бы в добром расположении духа. Однако если вы начинаете с чувством обреченности и уныния, то вы, вероятнее всего, с этим чувством и останетесь. Мне нужно, чтобы вы мне доверяли. В конце концов, я же не требую от вас испытывать на прочность свою силу воли. Я даже не настаиваю на том, чтобы вы собрали в кулак все свое мужество. Единственное, о чем я прошу, — читать мою книгу без предвзятости. Ничего плохого не произойдет. Напротив, случится нечто удивительное. Смотрите на это, как на вызов. Испытайте чувство гордости и удовольствия, преодолев свой страх. И позвольте мне помочь вам в этом.

Когда я прошу вас доверять мне, я не требую слепой веры. На протяжении всей книги я буду объяснять вам свою позицию. К концу книги вы поймете, что я прав. Вероятно, вы сможете начать в нужном расположении духа, если я более подробно расскажу о

МОЕЙ МЕТОДИКЕ.

3

Моя методика

Из предисловия, написанного Адель, вы можете сделать вывод, что я гордился тем, что открыл методику, которая давала любому курильщику возможность легко, сразу и навсегда бросить курить, не страдая при этом от мук отвыкания, не испытывая свою силу воли и не прибегая ко всяческим уловкам и заменителям никотина.

Курильщики приходят в мои клиники с различными формами паники и покидают их четыре часа спустя уже счастливыми некурящими. После двух лет работы я приобрел такую известность, что ко мне стали слетаться курильщики со всего света. Пытаться найти время, чтобы помочь им всем, вскоре стало заведомо бесперспективным делом.

Поэтому я изложил свою методику в книге «Легкий способ бросить курить», которая оставалась бестселлером на протяжении 14 лет с момента ее первой публикации в издательстве «Пингвин», и сейчас переведена на более чем 20 языков. Как я уже писал, она является бестселлером в Голландии и возглавляет список лидеров продаж в Германии.

В первое время я думал, что мое открытие имеет отношение только к курению. Но проведя тысячи групповых занятий, я постепенно начал понимать, что моя методика могла бы оказаться такой же эффективной и для избавления от любых видов наркотической зависимости, включая алкоголь и героин, или, по существу, для решения любой чисто психологической проблемы или избавления от фобии. Впрочем, я не точно выразился. Алкоголь и героин превращаются в проблему только потому, что мы употребляем их. Мышьяк и стрихнин тоже сильнодействующие яды, однако они для нас не проблема, потому что мы не испытываем ни потребности, ни желания принимать их.

Вера в то, что мы получим удовольствие или какую-то поддержку от никотина, героина или алкоголя, — вот истинный корень зла. Даже если, по вашему мнению, проблема наркотической зависимости связана полностью или частично с физическим состоянием человека, существует она все равно на психологическом уровне. Избавьтесь от потребности или желания принимать отраву, и проблема исчезнет.

Адель воображала, что отказ от курения и избавление от страха перед полетом не имеют ничего общего. Каким образом с помощью одной и той же методики можно решить обе эти проблемы? Я вынужден признать, что поначалу ее точка зрения показалась мне вполне логичной. Курению можно безошибочно дать следующее определение:

времяпрепровождение, которое с вероятностью один к двум грозит вам смертельным исходом, что, однако, не мешает курильщикам продолжать этим заниматься.

Полет на самолете можно описать примерно теми же словами:

времяпрепровождение, которым определенным людям ужасно хотелось бы заняться, но им мешает составляющая один случай на несколько миллионов вероятность смертельной опасности.

По иронии судьбы на планете есть буквально миллионы людей, которые страдают и от той, и от другой проблемы. Классическим примером мог служить известный игрок в гольф Нейл Коулс. Его боязнь авиаперелетов помешала ему заработать миллионы долларов в американском цикле игр, но одновременно у него была привычка во время игры курить одну сигарету за другой.

Перестать курить и избавиться от страха перед полетами — на первый взгляд, что здесь общего? Кто-нибудь из тех, кто страдает от СПП, как некогда я сам, может сделать вывод, что уговаривать кого-либо бросить курить — это все равно что пытаться убедить человека перестать получать удовольствие, аргументируя тем, что это опасно, а убеждать преодолеть свой страх перед полетами — это все равно что принуждать его к тому, что крайне неприятно, потому что это не опасно.

Ну что, устраняю ли я путаницу? Конечно, нет. Напротив, я делаю все, чтобы еще больше вас запутать. Именно путаница создает сложности. Давайте снова рассмотрим обе проблемы. Курильщики обычно впадают в лирическое настроение, расписывая прелести курения. Они рассказывают вам, какой изумительный вкус у сигарет, и, видимо, даже не задумываются о том, что сигареты несъедобны. Они объясняют, что курение помогает им избавиться от скуки и снять стресс, сосредоточиться и расслабиться, и не понимают, что скука и сосредоточенность абсолютно противоположны, так же как состояния стресса и расслабления, или что одна сигарета из пачки не может дать иной результат, чем любая другая.

Спросите у любого курильщика, будет ли он поощрять своих детей, если они начнут курить? Несмотря на все те удивительные преимущества, которыми, по его мнению, обладают сигареты, каждый ответит отрицательно, а у вас не останется сомнений в том, что любой курильщик на планете и представить себе не может, что его дети попадутся на этот крючок. Задайте курильщику вопрос, почему он не уговаривает своих детей приобщиться к удовольствиям и поддержке, которые дает курение, и он начнет говорить всякую чепуху и путаться в словах.

Разве реальная проблема курильщиков не в том, что логика подсказывает им не курить, а иррациональная часть их сознания в то же самое время пытается убедить в обратном? Именно поэтому курильщикам ненавистна сама мысль о том, что их дети станут такими же.

Разве реальная проблема людей, испытывающих страх перед полетами не в том, что они осознают, что летать совершенно безопасно, но подсознание твердит им совершенно противоположное?

И в том, и в другом случае проблема одна — это раздвоение сознания. Мы одновременно представляем собой двух разных людей: один говорит: «Кури!», другой утверждает: «Не кури!». Часть сознания советует: «Лети», а другая предупреждает: «Полет опасен».

Возможно, вам кажется, что именно рациональная часть вашего ума советует вам не лететь, а иррациональная убеждает в обратном. Ни то, ни другое не имеет значения. Только шизофреническое раздвоение и путаница вызывают эту проблему. На планете много людей, которые никогда не летали и не страдают шизофренией. Их вполне устраивает жизнь без полетов, причем многие из них весьма разумные люди.

Из только что сказанного, вы можете заключить, что ваша проблема будет решена, если вы вступите в их ряды. Было бы поистине прискорбно, если бы вы поступили именно таким образом, поскольку эти люди, хоть и довольны своей судьбой, но не осознают, что они теряют. Ну и что! Неведение — это счастье. Да, но оно является счастьем только временно. Однажды я дошел до такого состояния, что просто перестал пытаться бросить курить. Я рассуждал так: лучше прожить меньше, но, как я тогда считал, более счастливо, оставаясь курильщиком. Я доказывал, что несчастье жить без сигарет гораздо больше несчастья быть курильщиком. К счастью, я бросил курить, ведь некурящему человеку жизнь дарит гораздо больше радостей. Мне жаль, что я не раскрыл секрет того, каким образом можно легко бросить курить, раньше.

«Все в ваших руках». Не знаю, кто впервые придумал это выражение и давно ли оно существует, но независимо от этого, оно никогда не было более актуальным, чем сегодня. Разве можно завидовать тому, кто так и не смог научиться водить машину? Ведь это равносильно неумению ходить! А тот факт, что вы не можете летать или переживете душевную травму, если все-таки осмелитесь совершить полет, разве не проявление слабости? В наши дни полеты на самолете относительно недороги и уже не являются исключительным удовольствием для богатых. Теперь мир стал доступен каждому. Полет на самолете — это удивительное и радостное событие, он безопасен, а страх перед полетом иррационален. И это — чистейшая правда.

Я просил вас отказаться от предубеждений и начать читать книгу с чувством радостного волнения. Рассуждение о том, что пессимист видит стакан наполовину пустым, а оптимист — наполовину полным, в данном случае неуместно. Мы смело можем утверждать, что стакан в действительности полон, а те, кто страдает от СПП, думают, что он пуст.

Давайте подробнее рассмотрим, что же такое

ПУТАНИЦА И «ПРОМЫВАНИЕ МОЗГОВ».

4

Путаница и «промывание мозгов»

Вскоре после того, как я открыл свою методику, ко мне обратился врач, в то время считавшийся ведущим специалистом в Великобритании по борьбе с курением. Незадолго до этого телеведущий Дерек Джеймсон, который воспользовался моей методикой и успешно бросил курить, пригласил меня выступить в его программе на «БиБиСи»*. Видевший эту передачу врач сообщил мне, что она произвела на него большое впечатление, и пригласил меня посетить его клинику.

Вначале я был польщен, но мое самолюбие было задето, когда он объяснил, что пригласил меня не для того, чтобы позаимствовать мой опыт, а для того, чтобы я мог чему-нибудь поучиться у него. Он классифицировал курильщиков на девять различных типов и со своими коллегами работал над производством сигарет, не вызывающих привыкания. Моя обида быстро сменилась сочувствием. Я понял, что он провел всю свою жизнь в поисках собственного решения и не смог признать неудачу, когда ему откровенно сказали об этом.

Принято считать, что существует много различных типов курильщиков. Есть заядлые курильщики, курильщики от случая к случаю, молодые и старые курильщики, те, кто курит, чтобы избавиться от скуки и снять стресс, курильщики «за компанию» или те, кто считает, что курение помогает им расслабиться или сосредоточиться. Есть те, кто курит по привычке, и те, кто уже попал в зависимость от никотина. Есть курильщики, которые предпочитают сигареты, самокрутки, сигары или трубки. Врачи и психо-

---

* «БиБиСи» — британская телерадиовещательная корпорация.

логи провели много часов, пытаясь проанализировать все эти многочисленные пристрастия курильщиков и убедить их бросить курить.

Мне повезло. Я обнаружил, что существует только один тип курильщиков — это те, кто верит, что получает удовольствие от курения или находит в нем поддержку. Вместе с тем я понял, что и поддержка, и удовольствие всего лишь коварная иллюзия.

Почему моя методика оказалась столь успешной? Потому что она совершенно не походила на прочие. Авторы других методик концентрировали внимание на огромных недостатках курения, таких, как риск заполучить ужасную болезнь, бесполезная трата денег, отвратительный запах, неприятие курения в обществе, рабская зависимость. Иными словами, они подчеркивали, как глупо быть курильщиком. По-видимому, авторам этих методик никогда не приходило на ум, что сами курильщики гораздо лучше некурящих понимают, насколько глупо курить, но не бросают курить именно по вышеперечисленным причинам, а реальная проблема состоит в том, чтобы устранить причины, вынуждающие их курить.

В чем же заключалось сделанное мною открытие, позволяющее любому курящему человеку с легкостью, сразу и навсегда бросить курить?

Все дело в том, что я просто

УСТРАНИЛ ПУТАНИЦУ.

Страшные муки, которые испытывают некоторые курильщики, когда пытаются бросить курить, связаны не с тяготами отвыкания от никотина, а с убежденностью, что они действительно чем-то жертвуют. Поскольку курение дает им настоящую радость и поддержку, лишившись этого, они не только не смогут наслаждаться вечеринками, но и не найдут средства, чтобы бороться со стрессом. Курильщики также верят, что, бросив курить, им придется пережить ужасную ломку и для этого потребуются храбрость, сила воли и дисциплина.

Сначала я раскрыл секрет никотиновой ловушки: почему курильщики, прежде чем подсесть на никотин, вполне способны и без него получать удовольствие и справляться с неприятностями; что курение вовсе не избавляет от скуки и не снимает стресс, не помогает сосредоточиться и расслабиться, а по существу оказывает абсолютно противоположное действие. Я также объяснил, почему, погасив последнюю сигарету, можно будет получать большее удовольствие от праздников и лучше справляться с проблемами и, что самое важное, почему не придется проводить всю оставшуюся жизнь, тоскуя по сигарете.

Моя методика избавляет от путаницы и страха еще до того, как будет погашена последняя сигарета. Став некурящим, можно сразу же порадоваться этому состоянию, зная, что теперь легче будет и преодолевать сложности и получать удовольствие от жизни.

Каким образом моя методика может помочь избавиться от страха перед полетами? Ключ к ответу на этот вопрос вы найдете в предисловии, написанном Адель. Она была удивлена, когда после нашей беседы обнаружила, что из существа, как она считала, с параноидальным страхом перед полетами превратилась в человека, который с нетерпением ждет этого события. Я видел, что она именно так прореагировала на наш разговор, и был этим очень доволен. Однако признаюсь, что такая ее реакция удивила меня гораздо больше, чем ее саму. У меня не было намерения избавить ее от этой проблемы; мы просто вели непринужденную беседу, во время которой я признался, что некогда тоже ужасно боялся полетов.

И хотя сейчас я уже не испытываю прежнего ужаса, у меня все еще остаются некоторые опасения в отношении полетов, а вот Адель полностью избавилась от своих переживаний, и было совершенно очевидно, что это явилось результатом нашей беседы. Когда издательство «Пингвин» предложило мне написать книгу о СПП, я не стал отказываться, хотя на тот момент до конца не разобрался, почему все еще опасаюсь полетов, а для Адель этой проблемы уже не существует. По иронии судьбы до начала необходимых для этой книги исследований я абсолютно не понимал, почему Адель полностью освободилась от своего страха, однако в процессе работы я избавился от всех тревог, которые еще сохранялись у меня в отношении полетов.

Часть моей работы над книгой состояла в том, что я ознакомился с литературой по данному вопросу, прослушал аудиозаписи экспертов. Вскоре стало ясно, что их благие советы обычно сводились не столько к тому, чтобы освободить людей от страха перед полетами, сколько к выработке приемов, позволявших страдальцам (пациентам) справляться со своими страхами и все-таки летать. Ту же характеристику можно дать многим современным медицинским препаратам, предназначенным для лечения физических или психических болезней, — они устраняют симптомы заболевания, а не его причину. Я имею в виду приступы паники и тревоги, учащенный пульс, затрудненное дыхание, потеющие ладони и прочие неприятные физические явления.

Все эти симптомы вкупе с опасением, что они принесут вам страдания, — прямой результат вашего страха перед полетами.

Я собираюсь избавить вас от страха, а это автоматически ликвидирует и все неприятные ощущения, вероятно, мучающие вас. Советовать использовать какие-то приемы для того, чтобы справляться с этими физическими проявлениями, по сути дела, все равно что говорить: «Ваш страх перед полетом — результат неприятных физических ощущений».

Такие советы приводят лишь к нагромождению путаницы, которая и так уже налицо. Я хотел бы пояснить: моя методика состоит не в том, чтобы постепенно научить вас справляться со страхом. В детстве я был чемпионом по боксу среди школьников, но боялся пауков. Та же самая культура, которая убедила меня в том, что пытаться выбивать мозги у других неудачливых юнцов, при этом отчаянно пытаясь защитить свои собственные, есть нечто героическое, научила меня стыдиться своего страха перед пауками: мужчины не должны бояться пауков, только девочкам доступна такая привилегия. Поэтому я решил избавиться от своей фобии.

Я нашел малюсенького паучка и зажал его в своей ладони. Я повторял это упражнение со все бóльшими по размеру пауками, пока не дошел до того, что мог зажимать в своей руке огромное волосатое чудище. И тут мне

в голову пришла мысль: «Что же я делаю! — Я НЕНАВИ-
ЖУ ПАУКОВ!»

Я их до сих пор ненавижу. Пытаться примириться
с проблемой — не значит излечиться от нее. Тем не менее
я научился жить с этой проблемой. Многие боятся пауков,
и я давно подозревал, что некоторые из тех, кто не при-
знается в этом, не вполне искренни. Для чего же тогда де-
монстрировать, что они могут держать огромное мохнатое
создание в своих руках? Я не боюсь большого куска саха-
ра, но не считаю нужным брать его в руки, чтобы доказать
это. Если я увижу паука на потолке, то не пройду прямо
под ним, а если паук на полу, то бессознательно наступлю
на него.

Мне говорили, что мой страх перед пауками — это
фобия, что он неразумен, потому что в Англии нет таких
пауков, которые могли бы причинить мне какой-нибудь
вред. Я это хорошо понимаю. Но хотя плевок на тротуаре
или собачьи экскременты тоже не причиняют мне никакого вреда, я стараюсь обойти их. Если бы собачьи экскременты обладали теми же неприятными особенностями,
что и пауки, т. е. имели восемь ног, выползали из укромно-
го местечка, когда вы меньше всего ожидаете их увидеть,
падали бы на вас с потолка со скоростью звука в абсолют-
ной тишине, плели как раз на уровне вашего лица паутину, в которую вы попадаете, не зная, есть ли там паук, я бы
боялся и экскрементов, хотя они точно так же не причи-
няли бы мне никакого вреда. Я не считаю свое отношение
к паукам фобией — оно всегда было и будет одинаковым.

Возможно, у вас такие же ощущения по поводу вашего отношения к полетам. Есть, однако, два существен-
ных различия:

1) даже если мой страх перед пауками неразумен, я впол-
    не могу счастливо жить, избегая их, и у меня нет ужас-
    ного чувства, что я что-то теряю;

2) бояться летать неразумно. Этот страх вызван ложным
    опасением, что полет окажется опасным или неприят-
    ным. Избавьтесь от этого заблуждения, и вас покинет
    страх.

Я слышу, как вы восклицаете:

«Я ЗНАЮ, ЧТО ПОЛЕТЫ БЕЗОПАСНЫ, НО Я ПО-ПРЕЖНЕМУ БОЮСЬ!!!»

Нет, вы не знаете того, что полеты безопасны. Возможно, вас завалили статистическими данными, доказывающими, что полеты — самый безопасный способ передвижения. Ваш рациональный ум, вероятно, даже поверил всем этим цифрам, но с рождения вам «промывали мозги» информацией о том, что летать — это неестественно и опасно.

Именно эта шизофреническая путаница порождает данную проблему. Я намерен избавить вас от нее. Первый шаг — взгляните на

АНКЕТУ.

5

Анкета

Анкета — это опросный лист, заполнить который я попросил сотни людей, страдающих от страха перед полетами. Я просто не мог поверить многочисленным фактам и теориям, о которых читал в книгах, написанных экспертами; мне необходимо было убедиться в их достоверности.

Я надеялся, что анкета поможет мне избавиться от путаницы. В конечном счете так и случилось, но первоначально она внесла в мои взгляды еще большую сумятицу. Поскольку я питаю отвращение к заполнению всяких форм и анкет, составил свои вопросы таким образом, что чаще всего требовалось просто ответить «да» или «нет». Более 300 человек, страдающих от СПП, ответили на мои вопросы. Результаты приведены в Приложении А.

Я ожидал, что ответы будут соответствовать тому опыту, который сам пережил и описал в начальных главах этой книги. Я понимал, что мои страхи иррациональны, это проявление трусости, и стыдился самого себя. Однако многие страдающие от СПП испытывают совершенно противоположные эмоции. Если принять во внимание знания, которыми я тогда обладал, то мои страхи были вполне объяснимы. Я был далеко не трусом, скорее меня можно было назвать храбрым человеком. Почему? Да потому, что веря, что рискую своей жизнью, я все же садился в самолет и никогда ни одной душе не признавался в тех страданиях, которые переживал. В то же время я чувствовал себя глупцом. Почему? Потому что стыдился самого себя, но держал это при себе. Мой страх перед смертью фактически вытеснялся страхом потерять лицо в глазах моей жены, детей и друзей. Так же как и в случае с пауками, общество научило меня верить в то, что мужчины не должны испытывать страха, поскольку это исключительная привилегия женщин и детей.

Много лет спустя я узнал, что все четверо членов нашей семьи переживали одинаково сильно. Но каждый из нас по глупости держал это в себе. Мне трудно поверить, что каждый из нас испытывал тот же кошмар, от которого страдал я до, во время и после отпуска, но я убежден, что всем нам было бы гораздо легче, а испытание показалось бы менее тяжким, если бы мы нашли в себе смелость рассказать о наших бедах и поделиться ими друг с другом. Я действительно считаю, что мои предчувствия беды не переросли бы в кошмар, если бы я знал, что не один так мучаюсь.

Возможно, несмотря на то что боитесь летать, вы нашли в себе смелость пару раз или даже больше вынести это тяжкое испытание, как сделал когда-то я. Если так, то у вас есть повод гордиться собой. А может быть, вам страшно до такой степени, что, заказав билет на самолет, вы аннулировали заказ в последний момент или даже сели в самолет, но сошли с борта прежде, чем он взлетел, и больше никогда не осмеливались летать. Означает ли это, что вы менее храбры, чем я, и у вас есть основания стыдиться самого себя? Или, может быть, это означает, что вы менее глупы, чем был я? Как я мог одновременно чувствовать себя и смелым, и глупым?

Эти явно противоречащие друг другу чувства могут сбивать с толку, особенно, когда мы молоды. Возможно, еще один эпизод из моей молодости поможет вам прояснить ситуацию. Я расскажу о

СЛУЧАЕ С ЮДЖИНОМ.

6

Случай с Юджином

Это случилось, когда я был молодым аудитором (боюсь, что снова возвращаюсь к теме «Монти-Питона»). В то время я прилагал массу усилий, чтобы выжить на зарплату в два фунта в неделю. Нам платили, как беднякам, но ожидали, что мы будем вести себя, как лорды. Соответственно, мы имели право требовать, чтобы дорожные расходы на путь от конторы в Сити до города, где жил наш клиент, оплачивались из расчета стоимости железнодорожного билета в вагоне первого класса.

В этом случае клиент располагался в Биггслвейде*. Я не хочу обижать жителей Биггслвейда, но в дни моей молодости, это был захудалый городишко. В общем, четверым голодающим студентам поручили провести там аудит, и одному из них, я назову его Юджином, пришла в голову блестящая идея нанять автомобиль.

В те дни машины имели только действительно богатые люди.

Я сделал Юджину комплимент по поводу этой идеи и подумал, каким отличным бухгалтером он станет. Мы все не только выигрывали от разницы между стоимостью проезда в первом и третьем классах, но и экономили приблизительно по два шиллинга.

Я был очень наивен тогда. Мне не пришло в голову, что этот парень имел не больше желания стать бухгалтером, чем я.

Он был фанатиком мотогонок. Его истинным побуждением было не сэкономить несколько шиллингов, а реализовать свои фантазии о том, что он, как Стирлинг Мосс

---

* Биггслвейд — небольшой город в графстве Бедфоршир, Великобритания.

в Ле Мансе в потрепанном «Остине А-40»* несется по шоссе со скоростью 130 км/ч.

Я понимаю, скорость 130 км/ч не произведет впечатления на современных водителей. Но в то время мотогонщики считали, что ехать со скоростью 65 км/ч — значит нестись, хотя в наши дни такую езду сочтут опасно медленной. Ремней безопасности тогда не было, не проводился и техосмотр автомобилей. Ездить на лысых шинах было обычным делом, скажу больше: вас сочли бы несколько экстравагантным, если бы вы заменили их до того, как они лопнули. В то же время значительные участки шоссе не имели даже двустороннего движения.

Вы замечали, что у многих из нас есть склонность к тому, что меньше всего соответствует нашим физическим и умственным возможностям? Например, дамам среднего возраста весом в 120 с лишним кг нравится носить одежду из шкурок котиков и леопардов, а Лучано Паваротти**, как я слышал, мечтал стать балетным танцором…

Юджин был очень близорук. Я не имею в виду, что он не мог предвидеть события, а говорю о том, что зрение у него было очень неважное. Я не сомневаюсь, что при нынешних неслыханных технических достижениях в области производства контактных линз его близорукость была бы не столь заметной. Но в те времена его очки назывались «бутылочными стеклами», линзы, толщиной почти в палец, просто невозможно было не заметить.

Я думаю, что все сложилось бы менее ужасно, если бы до поездки у меня не создалось впечатления, что очки в какой-то мере компенсируют его плохое зрение. Однако его привычка во время езды наклоняться вперед так, что нос почти касался ветрового стекла, подтверждала то, что видел он плохо.

Я считаю, что мне повезло, потому что в качестве пассажира я оказался на заднем сиденье. Юджина, по-видимому, не беспокоило, что, наклоняясь далеко вперед,

---

* Стирлинг Мосс — известный гонщик «Формулы-1»; Ле Манс — старейшая гоночная трасса во Франции; «Остин А-40» — английская марка автомобиля.

** Лучано Паваротти — знаменитый итальянский тенор, очень тучный человек.

он не мог видеть зеркало заднего вида. Возможно, я несправедлив. На той скорости, с которой он ехал, было мало смысла смотреть в зеркало заднего вида. Но хуже всего была его раздражающая привычка, которая, кстати, есть у многих водителей, — отрывать взгляд от дороги, когда он с кем-либо разговаривал. Я знаю, что это вежливо — смотреть на людей, когда с ними разговариваешь, но когда ты ведешь машину, это очень опасно. Всякий раз, когда он так делал, у меня появлялось искушение схватить его за уши и повернуть к дороге. Все путешествие от Лондона до Бигглсвейда и обратно в Лондон я просидел в безмолвном ужасе.

В выходные дни я рассказал своей жене, как опасно ехать с Юджином, и объяснил, что на следующей неделе, скорее всего, поеду поездом. Но беда была в том, что если я отказывался от машины, то нанимать автомобиль становилось невыгодно. Все выходные дни я думал о том, как поступить. Если я откажусь, то мне придется привести вескую причину отказа. Я мог признаться, что напуган, но тогда я почувствовал бы себя трусом и был унижен. Я мог бы разнести в пух и прах водительские способности Юджина, но это сделало бы меня трусом вдвойне, потому что я критиковал бы его вождение, только чтобы замаскировать свой страх. Я был чрезвычайно горд тем, что сумел преодолеть свой ужас перед поездкой и стоически пережил такой же кошмар на следующей неделе, а если бы Юджин в третьей поездке не перевернул автомобиль на скорости 120 км/ч, то я бы и по сей день испытывал чувство гордости.

Вы слышали пословицу:

СОВЕСТЬ ЛЮБОГО ДЕЛАЕТ ТРУСОМ.

Всю свою жизнь я говорил так при случае, даже не задумываясь о том, что это значит. Поразительно, как противоречиво получается: «Смотри, куда прыгаешь» — «Промедление смерти подобно». По смыслу эти два выражения абсолютно противоположны, но мы употребляем их в том случае, когда хотим оправдать свои действия.

Я гордился тем, что сумел преодолеть свой страх. В то же время я чувствовал себя трусом потому, что у меня не хватило мужества, сев на поезд, тем самым подтвердить, что я в самом деле осуждаю Юджина. Авария доказала, что я принял неверное решение. Смешно: неужели я был готов рисковать своей жизнью, чтобы сэкономить два шиллинга? Для того чтобы пережить кошмарную поездку еще раз, мне потребовалось меньше храбрости, чем для того, чтобы признать свой страх и тем самым, возможно, поставить в неудобное положение и обидеть коллегу. Я чувствовал себя трусом, потому что не хотел признаваться в страхе или же мне совестно было поставить в неловкое положение своего друга? Кто знает?! Я только могу сказать, что годы спустя во время поездки на выходные дни в Париж в аналогичной ситуации я без угрызений совести или смущения сказал шоферу — пятидесятилетней копии Юджина: «Мне очень страшно, прошу вас, поезжайте медленнее или позвольте мне вести машину, а иначе вам придется остановиться и дать мне выйти».

Я не испытывал смущения по поводу своего страха, поскольку знал, что он вел машину очень неосторожно. Признаюсь: я опасался, что обидел его, но оказалось, что мне не следовало волноваться. Водитель вовсе не обиделся, он даже извинился и сбросил скорость, так что путешествие доставило мне удовольствие, а не стало испытанием. В этом случае меня не мучили противоречия. Я понимал, что рассудок может заставить любого выглядеть трусом. Однако думаю, что более уместным здесь было бы другое выражение:

ПУТАНИЦА ДЕЛАЕТ ВСЕХ НАС ТРУСАМИ.

Что касается случая с Юджином, то тогда в голове у меня была путаница, ведь я рисковал своей жизнью только ради того, чтобы не поставить в неловкое положение своего друга. Это было полнейшей глупостью. К счастью, ко времени, когда я вновь попал в такую ситуацию, я уже кое-чему научился и избавился от путаницы.

Теперь вы, должно быть, удивляетесь, какое отношение все это имеет к преодолению страха перед полетами. В сущности, вполне простительно, если вы сделали вывод, что я пытаюсь довести до вас следующую мысль:

если полеты считаются опасными, то нужно иметь смелость признать этот факт и отказаться летать. Если бы полеты были бы опасными, я бы стопроцентно поддержал вас, но я просто пытаюсь устранить путаницу.

Люди, страдающие от СПП, делятся на две основные категории:

1)   те, кто, несмотря на свой страх, имели смелость совершить полет;

2)   те, кто так и не смог набраться храбрости, и, следовательно, никогда не летал.

Это различие обманчиво. Если вы относитесь к первой категории, то можете сказать: «По крайней мере, у меня хватило смелости встретиться лицом к лицу со своим страхом». Тот, кто принадлежит ко второй категории, как человек нелетавший может в ответ возразить: «А что вы знаете о страхе перед полетами? Если бы вы испытали хотя бы одну десятую тех страданий, что и я, вы бы не подошли к аэропорту ближе чем за 15 км».

Одна из самых неприятных сторон любого недуга, физического или психического, — это чувство одиночества; вам кажется, что только вы сами можете понять свое страдание. Несомненно, что люди испытывающие чувство страха перед полетами или страдающие от любой другой болезни, могли бы в какой-то мере утешить друг друга, обсудив свои проблемы. Однако мой опыт говорит о том, что такие беседы могут скорее породить еще больше сложностей, а не способствовать исцелению, особенно если позволить страдающим людям начать соперничать по поводу того, кто мучается больше, и использовать при этом ложную или вредную информацию.

Если вас все еще волнует, что произошло после того, как автомобиль Юджина перевернулся на скорости 120 км/ч, то рад сообщить вам, что благодаря какому-то чуду все отделались только небольшими царапинами и ушибами. Более того, мне повезло, и я вообще не пострадал. Однако убежден, что именно это событие позднее способствовало появлению моего страха перед полетами.

На протяжении всей книги я буду обращать ваше внимание на то, что именно эта шизофреническая раздвоенность, эта путаница порождает данную проблему: разве я глупец и трус лишь потому, что, зная о безопасности полетов, все же не могу найти в себе достаточной смелости, чтобы летать? Или, если я даже смогу решиться на это, разве я настолько глуп, чтобы рисковать своей жизнью или травмировать себя?

Давайте подробнее рассмотрим действительную причину этой проблемы:

СТРАХ.

7

Страх

Предположим, вы верите в то, что все мы являемся творением Бога или другого столь же могущественного разума, или в то, что мы кульминация естественного отбора, длившегося три миллиарда лет, или, как и я, считаете, что эволюция и естественный отбор лишь процессы, которые использует какой-то высший разум, чтобы достичь совершенства. В любом случае только глупец усомнится в том, что здоровый человеческий организм, управляемый здравым рассудком, является самым совершенным созданием на планете.

Нам даны несколько направляющих сил, которые обеспечивают наше выживание, хотим мы того или нет. Одной из таких направляющих сил является страх. Многие люди считают страх проявлением слабости или трусости. Но без страха перед огнем, высотой, страха утонуть или подвергнуться нападению мы бы не выжили.

В нашей клинике, где мы помогаем пациентам бросить курить, я неоднократно слышал, как курильщики говорили: «Меня замучили мои нервы», словно быть в нервном возбуждении — это какая-то форма болезни. Хлопает дверь. Вы подпрыгиваете на полметра вверх. Это не значит, что у вас расстроены нервы. Ваши нервы в порядке. Понаблюдайте за стайкой скворцов: кажется, что они совершенно не обращают внимания на то, что происходит вокруг, но вот какой-то едва слышный звук заставляет вспорхнуть всех разом. Этот звук сигнализирует им: «КОТ!», а птица, которая не взлетела, будет съедена.

Мы думаем о страхе, как о зле. Мы восхищаемся бесстрашными людьми. Однако все, кто был на фронте, испытывали страх. Страх — это наша защита, предупреждающий сигнал, который говорит:

«ОСТОРОЖНО! ВАША ЖИЗНЬ В ОПАСНОСТИ!!!»

Не завидуйте бесстрашным людям. Мы склонны путать бесстрашие с храбростью. Мой словарь определяет храбрость как «способность сталкиваться лицом к лицу с опасностью и преодолевать ее». Но если у вас нет страха, как вас тогда назвать храбрым? Несомненно, храбрость подразумевает преодоление страха. Если у вас нет страха перед поездками на поезде, будете ли вы называть себя храбрым потому, что вошли в вагон? Конечно, нет.

Я больше не боюсь летать и поэтому не считаю себя таким уж храбрым, когда сажусь в самолет. Однако в тот период, когда меня лишь одолевали мрачные предчувствия, я проявлял определенную храбрость, когда летал, а когда я начал бояться полетов до дрожи, то, летая, чувствовал себя настоящим смельчаком.

О солдатах и боксерах часто говорят, что они бесстрашны. Мы склонны считать такое определение комплиментом. На самом деле оно несколько порочит их репутацию. Если существует осознанная опасность, то не имеет значения, является ли эта опасность реальной или только вероятной. Все нормальные и здоровые существа запрограммированы на то, чтобы ощущать страх. Если вы случайно наступите на гвоздь или прикоснетесь к горячей плите, то вам будет очень больно, и вы можете подумать: как было бы хорошо не чувствовать боли.

И ошибетесь. Боль гарантирует вам, что вы уберете ногу с гвоздя, чтобы не загнать его еще глубже в ступню, или отскочите от горячей плиты, чтобы не обжечься еще сильнее. Боль — это ваша защита. Тем не менее есть люди, родившиеся без болевых рецепторов. Они ущербны и необычны, им очень трудно выживать. Оттого что они не чувствуют боли, они могут дотронуться до раскаленного металла плиты, и только когда почувствуют запах паленой кожи, поймут, что что-то не так.

То же самое происходит и со страхом. У некоторых людей с рождения отсутствуют воображение, чувствительность, способность предвидеть опасность или узнавать ее даже когда она «подпрыгивает и кусает их за нос». Такие люди ненормальны и неполноценны. Не завидуйте им. Наоборот, жалейте их. Юджин был бесстрашен. Но как вы думаете: он рисковал своей жизнью и жизнью пассажиров потому, что был храбр, или потому, что был лишен воображения, чувствительности и ума?

Должны ли мы восхищаться бесстрашными людьми и восхвалять их? Нет, мы должны их жалеть; слишком часто отсутствие у них умения предвидеть и понимать опасность лишает их самого ценного дара — жизни или вынуждает проводить годы калекой.

Вам не нужно стыдиться своего страха перед полетами. Это рациональный и совершенно естественный инстинкт, и я считаю, что все, кто утверждает, что никогда не испытывал страха перед полетами, — лжецы или глупцы.

Я не обижусь, если вы сделали вывод, что я противоречу сам себе. В главе 4 я категорически утверждал, что страх перед полетами иррационален. Сейчас я говорю, что страх перед полетами — это вполне рациональное и естественное чувство, и что все те, кто не страдают от него, — или лжецы, или глупцы? Нет, я говорю, что тот, кто никогда не боялся летать, или лжет, или глуп.

Вы можете счесть такое заявление несколько опрометчивым, особенно если вспомнить, что признанные эксперты в один голос утверждают, что только 20% из тех, кто летает на самолете, испытывают страх перед полетом. Тем не менее все согласны с тем, что этот процент может быть гораздо выше, потому что не каждый готов признаться в том, что боится полетов.

Анкета проливает некоторый свет на этот вопрос. Я спросил своего старого друга, знает ли он кого-либо, кто страдает от страха перед полетами. Он ответил: «Да, знаю. Это я». Его ответ удивил меня не только потому, что он не был похож на человека, который чего-либо боится, но и потому, что я дружил с ним уже более 40 лет, знал, что он регулярно летал, и тем не менее не имел ни малейшего представления о том, что он испытывает страх перед полетами.

Анкета показала, что его фобия не заставляет его стыдиться, чувствовать себя трусом, глупцом или неполноценным. Но тем не менее он понимал, что его страх иррационален. На мой вопрос: «В чем дело?» — он ответил:

«Многие люди рассказывали мне о том, какой удивительный полет они совершили. Очевидно, большинство людей находит полеты восхитительными, а вот со мной, наверное, что-то не так».

Мне пришло на ум, что во время моего так называемого периода мрачных предчувствий, я вряд ли мог бы описать какой-нибудь полет, как восхитительный. Тем не менее я часто говорил: «Я прекрасно долетел». Обманывал ли я? Нет, я просто имел в виду, что не было никаких задержек, не было качки, кресла были удобными, еда и обслуживание — отличными, и на этот раз мой багаж не выгрузили последним.

Очень важно не просто знать точное значение слов, но и понимать, в каком контексте они были сказаны. Все заядлые курильщики завидуют тем, кто курит от случая к случаю и утверждает:

«О, я могу обходиться без сигарет целую неделю, и это меня ни в малейшей мере не беспокоит!»

Заядлый курильщик слушает это заявление и думает:

«Ты просто счастливчик. Как было бы хорошо, если бы я тоже так смог!»

Однако если курильщик от случая к случаю станет говорить:

«Знаете, я целую неделю могу обходиться без моркови!»,

то вы начинаете думать:

«Странно, почему он мне об этом говорит. Зачем ему вообще нужно об этом сообщать?»

Смысл этого заявления в том, чтобы проинформировать вас, что морковь не представляет для него проблемы. Однако тот факт, что он находит нужным сказать вам об этом, искажает его сообщение и подразумевает абсолютно противоположное. Отчего курильщики гордятся тем, что они мало курят? Когда я увлекался игрой в гольф, я всем говорил о том, что могу играть часто, и мне все больше и больше хочется этого.

Те, кто мало курит, бравируют этим, потому что они хотели бы не курить вообще, и когда они заверяют, что могут целую неделю обходиться без сигареты, то на самом деле хвастаются — они и должны так делать, — потому что им приходится сдерживать себя, чтобы всю неделю не курить. Фактически они вам говорят, что сигареты для них — проблема.

Мне когда-то стыдно было признаваться в том, что я боюсь бокса, пауков и полетов. Я страдал и от других страхов, рассказать о которых после «промывания мозгов» мне мешало чувство стыда.

Мы никогда не узнаем, каков истинный процент людей, которые никогда не испытывали страха перед полетами. Да это и не так важно. Но я абсолютно уверен, что тот, кто никогда не боялся летать, достоин жалости.

Могу ли я ожидать, что вы, читающий эту книгу только для того, чтобы освободиться от страха перед полетами, пожалеете того, у кого нет подобных фобий? Естественный инстинкт любого физически и умственно здорового человека — бояться полетов, а тот, кто никогда не испытывал этого, имеет серьезную проблему.

Если страх перед полетами — это естественный инстинкт, тогда каким образом методика Аллена Карра или, коли на то пошло, любой другой метод может изменить его?

Хотя это и естественный инстинкт, он все же иррационален. Глубокая часть плавательного бассейна инстинктивно отпугивает того, кто не умеет плавать, но как только вы научитесь плавать, этот страх теряет основу и поэтому исчезает. Однако если сбросить даже опытного пловца в воду в середине Атлантики, то, несмотря на все его умения, страх утонуть снова станет рациональным.

Вы когда-нибудь наблюдали, как птица поощряет птенцов совершить свой первый полет? Никто не сомневается, что для птиц летать — это природный инстинкт. В то же время очевидно, что даже птицы боятся своего первого полета. Здесь важно не насколько естественно для них летать, а безопасно это или нет. Признаемся, что наши естественные инстинкты говорят нам, что летать небезопасно.

Согласно моей методике, помогающей курильщикам бросить курить, я не трачу время, рассказывая им о том, что они уже и так хорошо знают; не привожу многочисленных и убедительных причин, почему им не следует курить. Я концентрирую внимание на реальной проблеме — устранении причин, которые заставляют их хотеть курить. Сейчас нам нужно не столько убедить вас, что летать безопасно, — вы это и так знаете. Наша реальная задача — устранить причины, которые заставляют вас верить в обратное.

Сейчас давайте детально рассмотрим, почему

ИЗНАЧАЛЬНЫЙ СТРАХ ПЕРЕД ПОЛЕТАМИ ЕСТЕСТВЕН И РАЦИОНАЛЕН.

8

Изначальный страх перед полетами естествен и рационален

При подготовке своей анкеты я старался не думать о том, как можно было бы ответить на тот или иной вопрос, но обнаружил, что не делать этого невозможно. К моему удивлению, 67% участников опроса понимали, что страх перед полетами — это фобия, которая может быть определена как анормальный и иррациональный страх.

Однако, как я писал ранее, страх — это не враг, а друг. Я рассуждал о том, что страхи делятся на рациональные и иррациональные. Однако, строго говоря, страх, сам по себе, не может быть иррациональным. Страх — это предупреждение о надвигающейся угрозе, которое дает нам возможность ее избежать или устранить. Это — друг, и он очень нужен для нашего выживания. Если даже окажется, что реальной опасности не было, страх все равно рационален.

Приведу простой пример. Когда пойманный горилла-вожак впервые видит свое отражение в зеркале, он думает, что там его соперник, и проявляет такой же страх и такую же агрессию, как и при встрече с настоящим соперником. Его поведение вполне рационально. Но, когда зеркало для гориллы становится привычным, он понимает, что оно не таит никакой угрозы. Если бы он продолжал реагировать на зеркало по-прежнему, его поведение было бы иррациональным. Но он не делает этого. Следовательно, страх — это лишь рациональная реакция на реальную или воображаемую угрозу. Когда вы узнаете, что угроза не имеет под собой основания, страх автоматически исчезает.

Вы можете поспорить:

«Я знаю, что полеты безопасны, и несколько раз летал, чтобы удостовериться в этом, но по-прежнему испытываю чувство страха».

Тот факт, что вы выдержали несколько полетов, сам по себе не доказывает, что полеты безопасны. На самом деле этот эксперимент может дать совершенно противоположный результат. Некоторые страдальцы обнаруживают, что чем больше они летают, тем хуже им становится. Если у вас остается страх перед полетом, то это происходит потому, что в глубине души вы все еще считаете полеты опасными или неприятными. Давайте посмотрим, что заставило меня поверить: только лжец или глупец не испытывает изначального страха перед полетами. Я буду опираться в основном, но не исключительно, на собственный опыт. Некоторые вещи, о которых я расскажу, возможно, не имеют к вам отношения. Возможно, вы знаете о каких-то дополнительных аспектах проблемы, которые характерны именно для вашего случая.

После трех миллиардов лет эволюции и естественного отбора инстинкты всех существ включают естественные страхи, которые помогают им выжить. Весьма важным для большинства созданий является страх высоты. Именно он не дает оперившимся птенцам выпасть из гнезда (тех, кто выпадает, обычно подталкивают другие птенцы), тот же страх заставляет нас быть осторожными, когда мы взбираемся по лестнице, потому что знаем, что упасть с высоты — значит получить телесные повреждения или даже умереть. Большинство нынешних реактивных самолетов летают на высоте приблизительно 10 км. Это довольно высоко. Вполне естественно, что мы должны испытывать чувство страха, когда летим, особенно, когда наши инстинкты говорят нам, что люди не могут летать. Для птиц летать — это нормально, они рождены с крыльями и весят совсем немного. Но наши естественные инстинкты не позволяют нам понять, каким образом огромная глыба металла весом в несколько тонн, к которой добавляется немалый вес топлива, пассажиров, команды и груза, может игнорировать законы гравитации. Если бы нам было предначертано летать, у нас были бы крылья.

Страх смерти. Предположим, двигатели заглохнут. Я могу припомнить, по крайней мере, два случая в моей жизни, когда во время поездки двигатель автомобиля просто переставал работать. Я не включаю сюда те случаи, когда машина не заводилась или кончался бензин. Однако при отказе двигателя автомобиля не было ни малейших признаков опасности, а следовательно, не было и страха. Но если внезапно заглохнет двигатель самолета, находящегося в воздухе, — вам конец!

Страх замкнутого пространства (клаустрофобия). Внутреннее пространство самолета может показаться вам несколько ограниченным, особенно если салон полон. Вы знаете, что чем выше вы поднимаетесь, тем меньше в воздухе кислорода, что кабина может разгерметизироваться, — и это усиливает ваш страх. Я никогда не страдал боязнью замкнутого пространства, но когда люки самолета закрылись, у меня появилось ощущение, которое я принял за клаустрофобию. Мне казалось, что я попал в ловушку. Ремень безопасности, который должен был уменьшить мое беспокойство, на самом деле только увеличивал его. Я понял, что не важно, какие испытания меня ждут, я не смогу выбраться, поскольку угодил в ловушку так же надежно, как если бы моя нога попала в медвежий капкан.

Однако существовало два момента, которые вызывали у меня еще больший страх, и я не знаю, какой из них хуже. Первый — во время двух этапов полета, которые я считал самыми опасными — взлет и посадка, — мне не разрешали курить. В то время я считал, что сигареты добавляют мне храбрости и уверенности, и лишиться их именно тогда, когда они мне особенно были нужны, было двойным ударом.

Конечно, я тогда не понимал, что курение не только не прибавляет уверенности и храбрости, но и подавляет их. Если вы курильщик, вам, вероятно, трудно будет в это поверить. Тем не менее это действительно так, я уже достаточно часто ссылался на мнения курильщиков; если же вы хотите знать, почему курение лишает вас уверенности и смелости, то вам нужно прочитать книгу «Легкий способ бросить курить».

Второй момент, вызывавший у меня ужас, состоял в том, что я совершенно не мог контролировать ситуацию. Моя жизнь находилась в руках не только какого-то беспечного усатого пилота, она зависела от механиков, инженеров и диспетчеров.

По иронии судьбы лекция по безопасности, прочитанная перед взлетом, не только не избавила меня от страхов, но, по существу, усилила их. Почему это вдруг стюардесса говорит о кислородных масках? Она явно ожидает, что самолет разгерметизируется. Хуже того, она ожидает, что он упадет! Для чего же еще она тогда подчеркивает, как важно знать, где находится ближайший выход? Мы собираемся не просто падать, но падать в море. Для чего еще нам нужны спасательные жилеты под сидениями?

Еще одним страхом был ПОЖАР! Пожар на суше — это тоже плохо, но как, скажите, пожарная команда доберется до вас на высоте более 10 км?

Но больше всего я боялся плохой погоды и турбулентности. Я всегда ненавидел ярмарочные аттракционы. Мысль о воздушных ямах, когда твои внутренности остаются на высоте 10 км, а самолет вместе с твоим телом за долю секунды проваливается на несколько километров вниз, была моим самым худшим кошмаром.

Кроме воздушных ям, которые, кстати, на самом деле не существуют, все упомянутые выше страхи естественны, рациональны и присущи нашему организму. Вдобавок к нашим инстинктивным страхам, мы с рождения подвергаемся массированному «промыванию мозгов». Я родился в 1934 году, и впервые узнал о полетах во время битвы за Англию*. Жизнь летчиков тогда измерялась неделями. Враждующие стороны пытались подстрелить и сбить друг друга, и у меня не осталось впечатления, что полет — это самый безопасный способ передвижения. В наши дни никому не нужно сбивать самолет в небе, однако есть террористы, которые только и думают о том, чтобы заложить в него бомбу.

---

* Битва за Англию — известные воздушные сражения Второй мировой войны, когда британские ВВС отражали атаки немецких бомбардировщиков.

В ту пору, когда я начинал летать, коммерческие полеты находились в стадии становления. Я не могу сказать вам, какова была реальная статистика катастроф, но я действительно считал, что игнорирование закона всемирного тяготения весьма рискованное занятие. Прошло уже более 40 лет с тех пор, как человек впервые отважился отправиться в космос. За эти годы космических катастроф произошло относительно немного, но я все еще считаю полет на Луну весьма опасным предприятием, и вам пришлось бы заталкивать меня, вопящего от страха, в ракету, чтобы туда доставить.

Однако самое разрушительное воздействие на наше сознание, усиливающее наши естественные и инстинктивные страхи, оказывают средства массовой информации. Если им верить, то получается, что каждый день где-то на земном шаре самолеты только и делают, что падают с неба, разбиваются в горах, сталкиваются друг с другом; что у них кончается топливо, они делают вынужденную посадку на воду в океане, будучи захваченными или сбитыми террористами; что возникают усталость металла или механические поломки; что самолетами управляют алкоголики, наркоманы или плохо обученные команды; что при техобслуживании используются бракованные детали; что самолеты сбиваются с курса, попадают в ураганный поток ветра или в них ударяет молния; что им угрожает обледенение, стаи птиц, пыльные бури или плохие погодные условия.

Многие голливудские фильмы об авиакатастрофах, которые, как предполагается, частично опираются на факты, в подробностях повторяют мифы средств массовой информации. Уверен, что вы понимаете, о чем я говорю. У капитана команды семейные проблемы, и он не может по-настоящему сконцентрироваться на полете. Второй пилот — скрытый алкоголик, который постоянно отлучается, чтобы незаметно глотнуть из своей фляги. Старшая стюардесса — нимфоманка, получившая это место только благодаря налоговым инспекторам. У авиадиспетчера проблемы с наркотиками. Один из пассажиров — террорист, и он заложил в самолет бомбу. Другая пассажирка — на восьмом месяце беременности и вот-вот родит.

Третий пассажир, как обнаружилось, страдает от весьма заразной болезни, и если он не получит нужных медикаментов, то все западное сообщество будет инфицировано. Аэропорт прибытия самолета, как и все другие аэропорты в радиусе 800 км, окутан густым туманом, а приборы показывают протечку в топливном баке. В этот момент выходит из строя двигатель номер один, а несколькими минутами позже — двигатель номер два. И в довершение всего перестает действовать гидравлика, а шасси самолета не удается выпустить.

Несомненно, вы думаете, что я преувеличиваю. Да, это так. Но то же самое делает и Голливуд. Дело в том, что все вышеописанное потенциально возможно. Практически все ситуации, которые я перечислил, действительно возникали во время какого-нибудь рейса. Не имеет значения, что шансы на подобное совпадение во время одного полета практически равны нулю.

Все дело в том, что мы подпадаем под влияние этих фильмов. Фактически, когда мы смотрим их в безопасной обстановке нашей гостиной, то в облегченном варианте переживаем те же волнения, что команда и пассажиры самолета. Когда капитан, в конце концов, совершает чудо и сажает самолет, мы вместе со всеми освобождаемся от напряжения, и нам, как и пассажирам из фильма, хочется приветствовать героя аплодисментами.

Когда я лечу курильщиков, людей, страдающих ожирением, алкоголиков, наркоманов или тех, кто испытывает страх перед полетами, то фактически стараюсь избавить их от страха. В клиники, где избавляют от никотиновой зависимости, наши пациенты прибывают на разных стадиях состояния паники; как и люди, боящиеся летать на самолетах, они не хотят признаваться в своих страхах, хотя для нас они совершенно очевидны. Важная часть моей методики состоит в том, чтобы заставить их расслабиться, и в этом случае нет лучшего способа, чем юмор. Однако на тех, кто боится полетов, даже шутка, как правило, производит подавляющее впечатление.

«Два ирландца возвращаются самолетом в Дублин. "Бип" — раздается сигнал оповещения: "Если вы потру-

дитесь выглянуть в окно по правому борту, то заметите, что правый двигатель больше не работает. Однако не стоит волноваться. Вы находитесь на самолете "ТриСтар"*, у него три двигателя, он может безопасно лететь и приземлиться даже на одном двигателе. Однако потеря мощности означает, что полет продлится на 30 минут дольше". Через 30 минут снова раздается "Бип": "Если вы потрудитесь выглянуть в окно по левому борту, то заметите, что левый двигатель тоже сломался, но, как я уже объяснял ранее, у нас нет причин для беспокойства, этот самолет может вполне надежно приземлиться на одном двигателе. Однако полет задержится еще на 30 минут". Один из ирландцев поворачивается к другому и говорит: "Надеюсь, что третий двигатель не сломается, иначе нам придется торчать здесь всю ночь"».*

Вначале я должен извиниться перед всеми ирландцами. В свое оправдание могу только сказать, что этот анекдот мне был рассказан ирландцем. Когда я услышал его, мне захотелось удостовериться в том, что «ТриСтар» действительно может летать и приземляться на одном двигателе. Зачем же этому самолету три двигателя, если ему нужен только один? Анекдот также предполагал математическую возможность того, что оба двигателя выйдут из строя один за другим в течение получаса.

Из всех анекдотов, которые я слышал о полетах, этот анекдот вызывал у меня наименьшее чувство страха. А вот другой анекдот — об инструкторе, который летит со стажером над брайтонским** пляжем на высоте полтора километра со скоростью 950 км/ч:

Инструктор: «Ручаюсь, что половина людей на пляже подумали, что мы терпим аварию».

Стажер: «С половиной пассажиров, судя по запаху, действительно произошла авария».

---

*   «ТриСтар» — самолет, производимый компанией «Локхид».

** Брайтон — модный курорт в Англии.

Шуточный рассказ, подтвердивший мои наихудшие опасения, описывал десятидолларовый чартерный полет в эконом-классе во Флориду:

«Мы сидели в старой "Дакоте"*, со следами от пуль, оставшимися еще со времен Второй мировой войны, и ждали пилота. Наконец появился тип в фуражке с золотым шнуром, в руках у него была белая палка, на глазах — темные очки, сопровождала его собака-поводырь.

— Это капитан?!

— Да, и он считается асом!

— Но он же слепой! Откуда он знает, когда взлетать?

— У него необычайно острый слух. Он запускает двигатель на полную мощность, разгоняется по взлетной полосе и когда сквозь рев двигателей слышит, как пассажиры кричат: "Взлетай же, черт возьми!" — знает, что теперь пора взлетать».

Возможно, я слишком впечатлителен, но в первый раз я летел именно чартерным рейсом, и эта шутка никак не уменьшила мои страхи.

Вероятно, наиболее склонны утрировать как раз те люди, которые сами боятся полетов. Вот типичный пример преувеличения, используемого средствами массовой информации и усиленного рассказом пассажира:

«После разгерметизации самолет рухнул вниз до высоты 7,5 км!»

В действительности произошло следующее: вышло из строя оборудование, отвечающее за герметизацию; как и было предусмотрено, опустились кислородные маски; пассажиры чувствовали себя достаточно комфортно и могли дышать. Капитан, сверившись с диспетчерами, произвел быстрое, но контролируемое снижение на 2 км. Полет продолжился и благополучно завершился. Вполне естественно, что пассажиры драматизировали ситуацию. Разве мы

---

* «Дакота» — марка английского автомобиля.

с вами не поступили бы так же? Капитана приветствовали как героя. А он скромно сказал:

«Я сделал только то, чему меня учили».

Фактически он описал все так, как оно и было. Самолет не падал вниз ни на один метр, не было никакой паники. На протяжении всего инцидента капитан сохранял самообладание, ситуация и самолет находились под контролем. Это была самая обычная работа. Но средствам массовой информации неинтересны рабочие моменты: в них нет ценности эксклюзива; а если нет сенсации, они должны сами ее сотворить.

Согласно моей анкете всего лишь 11% участников опроса стыдились своего страха перед полетами, 22% считали его трусостью, 56% думали, что этот страх иррационален, но только 33% считали его глупостью, 44% думали, что они существа более низкого порядка, чем люди, которые не испытывают страха перед полетами, а 62% относились к своему страху, как к фобии.

Сейчас я попрошу вас перечитать эту главу с самого начала. Некоторые инстинктивные страхи, связанные с полетами, и естественны, и реальны. Массированное «промывание мозгов», которому мы подвергаемся, благодаря средствам массовой информации и Голливуду, также вполне реально. Ко всему этому следует добавить искаженные представления и ложную информацию, которые мы получаем от наших друзей, коллег и общества в целом. Поэтому разве вы не согласитесь со мной, что тот, кто никогда не испытывал страха перед полетами, либо лжец, либо глупец?

Вам совершенно не нужно стыдиться, чувствовать себя глупым или существом низшего порядка, и, хотя у вас все еще сохраняется неправильное представление о полетах, ваш страх — это не фобия, он вполне рационален. Если вы, несмотря на свой страх, уже летали, то у вас нет никаких оснований считать себя трусом. Если вы не смогли набраться достаточной смелости, чтобы полететь, или, сделав это однажды, не можете заставить себя повторить снова, то это не обязательно говорит о том, что вы менее отважны, чем кто-либо. Возможно, вы более чувствительны, или у вас больше развито воображение, а потому вы испытываете больший страх. Возможно, у вас нет необходимости летать или нет такого желания полететь, как у других. Может быть, вы менее храбры. Трудно сказать.

Однако нам и не нужно этого знать. Цель этой книги не в том, чтобы сделать вас отважными, преодолеть ваши страхи или научить вас приемам, которые помогут справляться с ними. Даже если бы я мог это сделать, то не стал бы за это браться. Мое желание помочь состоит не в том, чтобы дать вам возможность провести остаток своей жизни, замирая от страха при перелете из одного города в другой.

Моя единственная цель — полностью избавить вас от этих страхов для того, чтобы вы могли действительно получать удовольствие от полетов.

Так же как первоначальная реакция гориллы перед зеркалом была инстинктивна и естественна, инстинктивны и естественны некоторые страхи, связанные с полетами, но истина состоит в том, что полеты представляют собой для вас не бóльшую угрозу, чем зеркало для гориллы. Все это не означает, что я намерен убедить или обмануть вас, ведь авиационная индустрия уже пыталась доказать вам, что полеты абсолютно безопасны, и уже убедила в этом большинство тех, кто летает. Однако вы не столь легковерны, как были они, вы не успокоитесь, пока не убедитесь в этом сами.

Я сказал, что летать абсолютно безопасно. Неужели я утверждаю, что авиапромышленность достигла такого этапа развития, когда авиакатастрофы просто невозможны? Конечно, нет. Я говорю лишь, что сегодня полеты настолько безопасны, что испытывать страх перед ними вам так же бессмысленно, как горилле бояться собственного отражения. Позвольте мне привести несколько примеров.

Разве вы лежите всю ночь без сна, тревожась о том, что вас лягнет осел и вы умрете? Конечно, нет. И тем не менее ежегодно гораздо больше людей погибает или получает травмы от копыт ослов, чем от полетов на самолете. Это правдивая, хотя и удивительная статистика. Однако, возможно, вам странно, что у вас нет желания приблизиться к ослу на расстояние удара, а вот желание летать есть?

Ну, хорошо. Давайте возьмем другой пример. Когда вы входите в свой сад, то неужели испытываете страх перед злым роком? В 1997 году более 70 граждан Великобритании умерли от несчастных случаев в саду и еще полмиллиона пострадали от несчастных случаев, последствия которых требовали госпитализации и длительного лечения. Сюда не включены случаи смерти от сердечных приступов и т. п. Несмотря на тот факт, что в среднем граждане Великобритании проводят гораздо больше времени в своем саду, чем в самолете, за весь 1997 год при совершении полетов, связанных с системой общественного транспорта,

В ВЕЛИКОБРИТАНИИ НЕ БЫЛО НИ ОДНОЙ АВАРИИ ИЛИ ПРОИСШЕСТВИЯ СО СМЕРТЕЛЬНЫМ ИСХОДОМ!

Несомненно, вы заподозрите, что я специально выбрал 1997 год, поскольку он был самым благоприятным в этом отношении и что более спокойного года нельзя был найти. Но я бы мог выбрать 1988-й или 1991-й, 1992-й или 1996 год. Это не исключение, это — норма. В течение всех этих лет

В ВЕЛИКОБРИТАНИИ НЕ БЫЛО НИ ОДНОЙ АВАРИИ ИЛИ ПРОИСШЕСТВИЯ СО СМЕРТЕЛЬНЫМ ИСХОДОМ!

Помимо примера с садом я мог бы привести множество других. Возможно, вы заподозрили меня в том, что я использую данные статистики с целью убедить вас, насколько безопасно летать. Вы ошибаетесь. Я привожу этот пример для того, чтобы показать, что даже при наличии реальной угрозы серьезного несчастного случая или смерти, мы все равно входим в наш сад с чувством радости, а не обреченности и уныния.

Я хочу разъяснить, что эта книга и те статистические данные, которые я в ней привожу, имеют отношение только к обычным деловым полетам, к отпускным и прогулочным полетам на реактивных самолетах, включая чартерные рейсы из Западной Европы, Северной Америки или Австралазии*. Сюда входят также обратные рейсы из любой точки земного шара, при условии, что они совершаются на самолете той же самой авиакомпании. Я буду ссылаться на такие рейсы, как на полеты, входящие в ограниченный

«ПЕРЕЧЕНЬ».

Важно, чтобы вы запомнили это понятие «ПЕРЕЧЕНЬ», потому что я буду неоднократно к нему обращаться. Одна из главных причин нашего страха — это массированное «промывание мозгов», осуществляемое средствами массовой информации и Голливудом. Нравится нам это или нет, мы сознательно и бессознательно подвергаемся этому воздействию. Подавляющее большинство бедствий или аварий, о которых сообщают средства массовой информации, не только преувеличены, искажены и драматизированы, но и связаны с полетами, не входящими в «ПЕРЕЧЕНЬ».

Голливуд склонен к гиперболе и, к сожалению, делает это в отношении полетов, входящих в «ПЕРЕЧЕНЬ». Фильмы Голливуда — вымысел! И несмотря на это, мы сознательно или бессознательно подпадаем под его влияние. Нам необходимо исключить из сознания отрицательный результат «промывания мозгов» и иметь дело только с голыми фактами.

В мой «ПЕРЕЧЕНЬ» не входят вертолеты, дирижабли, аэростаты, военные самолеты, самолеты с одним двигателем, самолеты, находящиеся в частной собственности, или любые формы планеров, а также авиакомпании, самолеты которых летают вне тех регионов, о которых я говорил.

Означает ли это, что опасно летать на вертолетах, дирижаблях, на самолетах других авиакомпаний из регионов, не входящих в «ПЕРЕЧЕНЬ»? Термин «опасность»

---

* Австралазия — общее наименование Австралии и прилегающих к ней островов.

расплывчат. Могу вам рассказать о том, что, уже избавившись от ужаса перед полетами, но все еще испытывая тревогу, я с некоторой опаской совершил полеты на вертолете вокруг острова Манхэттен и на дирижабле — над озером Тахо, которые доставили мне удовольствие от взлета до приземления.

Для большинства из нас полеты на вертолете или дирижабле не слишком актуальны, и качество нашей жизни не сильно пострадает, если у нас нет желания предпринимать их. Я хотел бы облегчить людям жизнь, которая была подвергнута серьезному и неблагоприятному воздействию из-за того, что они слишком сильно напуганы и не в состоянии использовать самый дешевый, быстрый и безопасный способ передвижения на сравнительно большие расстояния, а если они и решаются на подобные попытки, то получают опыт, варьируемый от мрачных предчувствий до откровенного ужаса.

После того как вы научитесь получать удовольствие от полетов, входящих в «ПЕРЕЧЕНЬ», вы, возможно, решитесь летать на рейсах, не включенных в него, на вертолетах или дирижаблях. Я не хочу, чтобы вы подумали, будто я намекаю на то, что все регионы, а также летательные аппараты, которые не включены в «ПЕРЕЧЕНЬ», опасны. Просто цель этой книги — помочь тем читателям, которые хотят получать удовольствие от полетов, включенных мною в «ПЕРЕЧЕНЬ», чтобы понять, что такие полеты абсолютно безопасны. Поэтому мое исследование ограничивается только этими полетами.

Моя третья рекомендация состоит в том, что вы должны приступать к изучению данной книги в хорошем расположении духа, но содержание данной главы, как мне представляется, поубавило ваш энтузиазм. Тем не менее вам очень важно знать, что причины вашего страха перед полетами вызваны не недостатками вашего характера или вашего организма.

Общество склонно считать курильщиков слабохарактерными, неосмотрительными и довольно глупыми людьми с неприятными, антисоциальными привычками. Поскольку я сам был заядлым курильщиком на протяжении более 30 лет, я не смог бы опровергнуть этот образ.

Только избавившись от никотинового рабства, я сумел понять истинные мотивы.

Аналогичные ощущения были у меня и в отношении моего страха перед полетами. Я чувствовал, что я слаб, труслив, нелогичен и глуп. Только утратив страх, я смог отчетливо увидеть реальное положение вещей. Мой опыт с курением должен был бы научить меня большему, но, признаюсь, я был удивлен, когда узнал, что несколько моих друзей и знакомых, людей, которых я многие годы знал как физически сильных, обладавших живым умом и многого добившихся в интеллектуальном плане личностей, тоже боятся полетов. Из информации, представленной респондентами моей анкеты, вскоре стало ясно, что люди, страдающие от страха перед полетами (СПП), вовсе не бесхарактерны и нелогичны. Подавляющее большинство их являются здравомыслящими и умными членами общества.

С этого момента и впредь я хочу, чтобы вы прогнали все свои негативные мысли. Возможно, вы сделаете вывод, что моя методика заключается лишь в тренировке позитивного мышления. Это не так. Всю свою жизнь я мыслил позитивно, но это все же не помогло мне избавиться от страха перед полетами. Он не прошел даже тогда, когда я понял его причину. Я освободился от этого страха только когда по-настоящему осознал, что эта причина не имела под собой никакого основания.

Полагаю, что наиболее типичным примером позитивного мышления может быть традиционная подготовительная беседа, которую американский тренер по футболу проводит со своей командой перед началом матча:

«Мы выйдем на поле и разобьем их. Мы сотрем их в порошок! Мы разгромим их, потому что мы самые сильные!»

А игрок сидит и думает:

«Он что, принимает меня за дурака? Тренер другой команды говорит сейчас то же самое, но ведь одна из команд должна проиграть!»

С моей точки зрения, такие подготовительные беседы являются не позитивным настроем, а глупостью. Для меня позитивная подготовительная беседа должна была бы быть, например, такой:

> *«Мы проанализировали несколько слабых сторон их защиты, которые можем использовать. Мы изучили их стратегию нападения, точно узнали, как они набирают очки, и выработали контрстратегию. По физическим данным и по числу игроков мы им не уступаем, но намного лучше тренированы. Мы отработали наше мастерство и нашу стратегию и довели их до совершенства. Мы команда, хорошо смазанный механизм, поэтому мы не можем не победить. Пошли, ребята, развлечемся!»*

Вот это действительно образец положительного мышления, опирающегося не просто на надежду, удачу или решимость, но и на солидные факты. Можно возразить, что, вероятно, другая команда использовала точно такие же приемы и перехитрит нас. Вы абсолютно правы, но продолжим аналогию с футбольной командой.

Давайте представим, что вы проявляете себя лучше, чем другая команда на любой стадии игры. Ваша команда сильнее, в лучшей физической форме, более энергична и талантлива. Ваша тактика превосходит соперников и в защите, и в нападении, ваш четверть-защитник и нападающий существенно лучше. Разве вы можете проиграть? Предполагаю, что есть только один способ проиграть — вместо того чтобы выйти на поле с полной уверенностью в своих силах, начать сомневаться в себе. Если слава другой команды внушает вам благоговейный страх, вы запаникуете и заранее капитулируете. Иными словами, вы проиграете не потому, что не способны выиграть, а из-за своего негативного мышления.

А вот ситуация, в которой вы оказываетесь в полете:

НЕ СУЩЕСТВУЕТ НИКАКОЙ ДРУГОЙ КОМАНДЫ!

Или, скорее, другая команда — это просто ряд инстинктов и убеждений, которые являются не чем иным, как набором заблуждений и иллюзией.

В ЭТОМ СУТЬ ВОПРОСА.

Мы собираемся разрушить эти заблуждения. Хотя моя методика — это не просто тренировка позитивного мышления, тем не менее очень важно, чтобы вы

МЫСЛИЛИ ПОЗИТИВНО.

И вот моя четвертая рекомендация: сохраняйте хорошее расположение духа, помните, что вам абсолютно нечего терять, но что вы многое можете приобрести, что все преимущества на вашей стороне.

Давайте начнем с опровержения пятого мифа:

ЕСЛИ БЫ НАМ БЫЛО ДАНО ЛЕТАТЬ, МЫ БЫ РОДИЛИСЬ С КРЫЛЬЯМИ.

9

Если бы нам было дано летать, мы бы родились с крыльями

Тот факт, что некоторые вещи кажутся неестественными для человека, не мешает нам воспринимать их без страха или с радостью. Мы не родились с колесами, лыжами или досками для серфинга. Да и с кораблями, поездами, телевизорами и телефонами мы тоже не родились. В отличие от черепахи, мы даже не родились с домом на своей спине. И конечно же, нет ничего естественного в компьютере, уставившись в экран которого я сижу целый день, но без него я бы, несомненно, пропал.

Одним из сюрпризов моей анкеты стало то, что, по мнению многих, поезда относятся к наименее опасным видам транспорта. А ведь и поезда вряд ли можно назвать естественной формой передвижения. Мы не рождены с колесами, но с радостью создаем их для себя, так почему бы нам не сделать себе крылья?

Я полагаю, это связано с тем, что хотя автомобили и поезда и не являются естественной формой передвижения, тем не менее создается впечатление, что они не нарушают законов природы. Наши обычные знания о полетах сводятся к тому, что есть какие-то создания, в основном птицы, которые невероятно легки, машут крыльями и умеют летать. Хотя Исаак Ньютон был первым, кто сформулировал закон всемирного тяготения, люди на земле с незапамятных времен знали, что все поднятое вверх должно упасть, и чем тяжелее существо или предмет и чем выше оно окажется, тем сильнее будет удар при его падении.

Я уверен, что в этом главный ключ к нашему страху перед полетами. Каждая крупица нашего инстинкта вопиет, что невозможно громадной глыбе металла весом в несколько сотен тонн с грохотом нестись по небу со скоростью 800 км/ч и не врезаться со страшной силой в землю. Это кажется совершенно неестественным. Это нарушает законы природы, не говоря уже о законе тяготения Ньютона, и все, кто настолько глуп, что добровольно садится в эту металлическую штуковину, должны винить только себя за тот ужас, который им приходится переживать.

Истина в том, что самолет, как и плывущий корабль, не только не нарушает законов природы, но и находится в полной гармонии с ними. Прежде чем мы рассмотрим проблему, каким образом огромный воздушный корабль может взлетать и оставаться в воздухе, давайте обратимся к еще более сложной проблеме: каким образом современные гоночные автомобили и моторные лодки удерживаются на поверхности земли и воды соответственно? В конце концов, они ведь тоже тяжелые металлические объекты. Современный коммерческий реактивный самолет взлетает и приземляется на скорости около 250 км/ч.

На такой скорости даже автомобили имеют тенденцию взлетать. Мы все наблюдали, как моторные лодки пролетают по воздуху, если их нос слишком задирается кверху. Скоростные автомобили и корабли по законам аэростатики должны быть сконструированы таким образом, чтобы они не могли взмывать вверх. Многие современные автомобили снабжены спойлерами*, помогающими им удержаться на земле.

Каждому, кто когда-либо носил шляпу в ветреный день, особенно если у нее были небольшие поля, известно, что как бы плотно ее ни натянуть, если не опустить голову и подставить лицо ветру, шляпа слетит и будет кружиться в воздухе, причем ураганного ветра для этого не потребуется. Если же у вас шляпа с большими полями, то удержать ее еще сложнее. Достаточно легкого ветерка, чтобы создать абсолютный хаос, такой, на-

---

* Спойлер — деталь, используемая для гашения подъемной силы.

пример, как в «Дамский день»*на Королевских скачках в Аскотте.

Но шляпки дам на аскоттских празднествах создаются с чисто эстетической целью, и поистине бывает жаль, что они, как правило, обладают очень хорошими аэродинамическими характеристиками. Современный реактивный самолет спроектирован как раз таким образом, чтобы использовать величайшие преимущества этого вполне естественного феномена.

С незапамятных времен человек завидовал птицам. Первые попытки состязаться с ними состояли в том, чтобы создать крылья, которыми можно было взмахивать. Нет нужды говорить, что первые опыты были безуспешными, опасными и часто кончались трагически. Трудно поверить, что прошло менее 100 лет, с тех порт как Орвилль и Уилбур Райт совершили свой первый полет**. С самого начала мы пытались учиться у птиц. Однако с тех пор наши знания по аэронавтике выросли тысячекратно. Мы научились многому на громадном практическом материале, пользуясь современными средствами коммуникации и компьютерами.

Представьте, что огромная поверхность крыльев самолета — это широкие поля шляпы; этим крыльям придана такая форма, что лобовой ветер достаточной скорости заставляет их взлетать; как поля шляпы поднимают ее в воздух, так и устремляющиеся ввысь крылья самолета отрывают его от земли.

Но полет шляпы очень недолговечен и подчиняется капризам ветра. Когда ветер стихает, шляпа падает, как бы широки ни были ее поля. Это истина. Однако самолет имеет несколько серьезных преимуществ перед шляпой. Первое — он сам создает ветер. Я помню, что когда я впервые занялся бегом трусцой, то всегда начинал бег против ветра. Мне это очень нравилось, потому что я ду-

---

* «Дамский день» — второй день четырехдневных скачек на ипподроме Аскотт, когда по традиции женщины надевают шляпки по последней моде.

** Братья Орвилль и Уилбур Райт — американские изобретатели, авиаконструкторы и летчики. В 1903 году они осуществили первый в истории пилотируемый полет.

мал, что, когда буду возвращаться уже уставшим, ветер будет дуть мне в спину. Меня поражало, что, как только я поворачивал домой, ветер тут же менял свое направление и дул в совершенно противоположную сторону, хотя это вполне типично для закона подлости[*].

Тем, кто не знаком с этим законом, с сожалением скажу, что я не смог найти его в своем словаре. Это серьезное упущение со стороны составителей, поскольку данный закон, безусловно, важнейший закон природы. Однако пары примеров, я думаю, будет достаточно. Возьмем закон больших чисел: если вы подбрасываете монету достаточно долго, то она упадет орлом вверх примерно столько же раз, сколько этой же стороной вниз. Однако, если вы играете на результат, она всегда упадет не той стороной, на которую вы поставили, — это закон подлости. Другой пример: если вы роняете бутерброд, то он не только всегда падает на сторону, смазанную маслом, но и норовит упасть на ковер с густым ворсом, а не на кафельный пол. Люди всю свою жизнь роняют бутерброды, но в истории не было ни одного подтвержденного случая, чтобы бутерброд упал маслом вверх. Закон подлости имеет существенный перевес над законом больших чисел.

Прошло какое-то время, прежде чем до меня дошло, что когда бежишь в любом направлении, то приходится преодолевать сопротивление воздуха, поэтому если даже ветра не было, он всегда появляется. Реактивные двигатели толкают самолет вперед; чем больше его скорость, тем сильнее сопротивление воздуха, и при достижении определенной скорости, зависящей от веса и конструкции самолета, ему не остается ничего иного, как взлететь.

Разве я говорю, что при взлете пилот продолжает разгонять самолет до тех пор, пока он не взлетит? Нет, я просто описываю принципы полета. Это вовсе не чудо, что несколько сотен тонн металла могут подняться с земли и оставаться в воздухе; это — один из естественных законов природы; самолету не остается ничего иного, как следовать этим законам. Фактически было бы чудом, если бы он не взлетал.

_____

[*]   Закон подлости — один из законов Мерфи.

Второе важное преимущество самолета перед шляпой в том, что он не только создает свой собственный ветер, но и полностью контролирует его скорость и направление. Этот поток воздуха, который я впредь буду называть «тягой», спадает только в том случае, если пилот хочет его ослабить, и он уменьшается с той скоростью и за то время, которые задает пилот.

Все это очень хорошо, но, самолет, несомненно, должен подвергаться воздействию капризов ветра, и как можно сравнить вес шляпы с весом огромного лайнера?

Тяга одного современного реактивного двигателя во много раз превосходит тягу самого мощного урагана. Автомобили и дома очень тяжелы и построены так, чтобы прочно удерживаться на земле; однако вам, вероятно, приходилось наблюдать, как, несмотря на это, торнадо подхватывает их и кружит в воздухе, словно спичечные коробки. Любой самолет подвержен влиянию ветров, но его собственная тяга настолько мощнее, что он в любом случае может к ним приспособиться.

Самолет имеет перед шляпой и третье важное преимущество. Шляпа не только зависит от ветра и подвержена всем его капризам, она в отличие от самолета не может сама изменять свою форму. Те же самые поля, которые поднимают шляпу в воздух, могут и сбросить ее на землю. Любой неопытный любитель воздушных змеев знает об этом. Ты ждешь порыва ветра, надежды растут, по мере того как змей набирает высоту метров шесть, и в следующее мгновение гаснут, когда змей падает на землю. Я уверен, что подобный опыт тоже, как правило, способствует появлению страха перед полетами. Если легкий змей, сконструированный так, чтобы держаться в воздухе, падает с такой же скоростью, как и металл, то как может удержаться в воздухе самолет весом в несколько сотен тонн?

К сожалению, змей страдает тем же недостатком, что и шляпа: он не может менять свою форму. Предполагаю ли я, что современные реактивные самолеты на самом деле могут изменять свою форму? Да, именно об этом я и говорю, это как раз то, что они делают. Эти изменения могут показаться несущественными; действительно, они настолько малозаметны, что многие пассажиры даже не знают, что это происходит. Но изменения и не должны быть значительными. Поля шляпы могут иметь подходящую форму для того, чтобы поднять ее в воздух, но форма шляпы сделает ее полет весьма хаотичным.

Стрела и дротик имеют идеальную форму для того, чтобы безошибочно достигать цели, но внесите небольшое изменение, удалите часть их оперения, и результат будет катастрофическим. Хвост самолета подобен перу дротика, он является одним из главных стабилизирующих механизмов, который обеспечивает устойчивость полета самолета.

В отличие от шляпы форма самолета рассчитана специально так, чтобы он поднимался в воздух и оставался в стабильном положении на протяжении всего полета. Я знаю, трудно поверить в то, что металлический предмет весом в несколько сотен тонн может взлететь и оставаться в воздухе. Я вам очень упрощенно объяснил, как и почему это происходит. На самом деле мы не нуждаемся в доказательстве того, что полет возможен, мы сами об этом знаем.

Было подсчитано, что в любой произвольно взятый момент в воздухе находится более полумиллиона самолетов.

Однако знание того, как и почему современные реактивные самолеты могут держаться в воздухе, поможет понять, почему они так надежны. Истинная причина не в их конструкции или огромной мощности двигателей, а в способности изменять форму и быть полностью управляемыми на протяжении всего полета. Именно этот феномен называется управлением.

Возможно, лучшего всего показать все это, описав

ТИПИЧНЫЙ ВЗЛЕТ.

10

Типичный взлет

В худшие прежние времена я делил все фазы полета на четыре четких страха:

1) взлет при полете туда;

2) посадка при полете туда;

3) взлет при полете обратно;

4) посадка при полете обратно.

Почему я это делал? Потому что общество мне настолько «промыло мозги», что заставило поверить, будто взлет и посадка — самые опасные этапы полета.

В мой первый проект анкеты были включены два вопроса, которые я впоследствии опустил:

1) форма передвижения;

2) какой этап полета вы считаете наиболее опасным?

По иронии судьбы ответ на первый вопрос был всегда утвердительным. Точно так же ответ на второй вопрос неизменно был одинаков: посадка и взлет. В чем здесь ирония? А в том, что, хотя каждый ответ кажется правильным, они противоречат друг другу. Если полет безопасен, то как тогда можно говорить, что опасны взлет и посадка? Фактически именно формулировка второго вопроса является причиной этой логической ошибки. Посадки и взлеты не опасны, и истина в том, что ни один из этапов полета не представляет собой риска.

Однако из-за того, что относительно небольшое число происшествий часто происходит именно во время взлета или посадки, наш одураченный мозг заставляет нас поверить в то, что эти маневры действительно опасны. Они не более страшны, чем начало движения и остановка поезда. Формулировка же вопроса создает впечатление, что полет на самом деле опасен.

Даже после того, как я научился спокойно переносить полеты, мы с женой всегда держались за руки во время взлета или посадки. А когда каждый взлет или приземление благополучно заканчивались, мы улыбались друг другу, словно пережили снежную лавину или ураган. Почему мы так себя вели? В конце концов, мы же не совершали подобного ритуала, пользуясь другими видами транспорта. Я знаю теперь, что лично я это делал потому, что искренне верил, что пережил некое весьма важное событие. Но почему такая потребность возникла у Джойс, которая утверждала, что никогда не страдала от страха перед полетами?

Мы по сей день сохраняем этот ритуал. Не могу сказать за Джойс, но я делаю это не из-за страха при взлете или посадке, а потому, что это стало милой, любимой привычкой, напоминающей мне о тех временах, когда я не столько держал ее руку, сколько едва не ломал ей пальцы. Джойс говорит, что она не боится полетов потому, что если мы умрем, то, по крайней мере, умрем вместе. Я нахожу это утешительным и лестным, но сам факт, что мы не держимся за руки, когда садимся в автобус или на поезд, означает, что она, должно быть, видит значительно больше возможностей умереть во время взлета или посадки.

Давайте теперь объясним, что делает взлет и посадку совершенно безопасными. Вы благополучно вырулили к главной взлетной полосе. Двигатели уже запущены, их только что проверили, как и весь самолет. Капитан увеличивает обороты двигателей и затем отпускает тормоза. Самолет начинает разбегаться по взлетной полосе. Он достигает той скорости, когда вы инстинктивно чувствуете, что самолет должен взлететь. Но он не взлетает. Вы понимаете, что что-то идет не так. И вот тогда вы начинаете сожалеть, что вы взяли с собой клюшки для гольфа, и беспокоиться, хватит ли взлетной полосы. Вы обнаруживаете, что сами пытаетесь физически поднять самолет. Вам хочется закричать всем пассажирам:

«Ну, давайте же! Если мы все сосредоточим наши усилия, то сможем оторвать эту штуку от земли!»

По всей вероятности, ваши ощущения правильны, пилот вполне мог взлететь на той скорости, которую вы почувствовали. Так почему же он не сделал этого? Потому что он хочет выжить, так же как и вы.

Точная скорость, на которой пилот должен потянуть рукоятку на себя, рассчитана заранее. Авиакомпания взвешивает ваш багаж не только для того, чтобы получить с вас больше денег в виде платы за лишний вес. Она знает вес самого самолета, но ей также необходимо знать число пассажиров и команды, вес груза и топлива. На основании этих данных рассчитывается точная скорость, с какой должен разбегаться самолет, чтобы взлететь.

Однако подняться в воздух именно на этой скорости было бы очень рискованно: малейшая ошибка в расчетах, изменение силы ветра или сбой в каком-либо из двигателей в момент взлета могут заставить самолет потерять скорость. Поэтому пилот даже не пытается взлететь на этой скорости. Как и во всем, что касается современной гражданской авиации, в разбег самолета заложен запас прочности. Если говорить о скорости на взлете, то этот запас составляет около 30%. Поэтому если фактическая взлетная скорость составит 240 км/ч, то это означает, что пилот мог бы взлететь на скорости около 180 км/ч.

Каким образом пилот удерживает самолет на земле, когда законы аэродинамики диктуют ему, что самолет должен взлетать при скорости 180 км/ч? Здесь ему помогает система управления, дающая возможность изменять форму самолета. И крылья, и хвост имеют подвижные части. Они называются закрылками. Вспомните о шляпе с полями. Если поля обвиснут, то шляпа вряд ли слетит с вашей головы. Если они подняты вверх, то никакие булавки не удержат ее.

На начальной стадии взлета пилот использует закрылки подобно тому, как используются спойлеры (гасители подъемной силы) на автомобилях, чтобы удержать самолет на земле. Когда он достигает скорости, на которой самолет беспрепятственно сможет взлететь, то просто убирает эти закрылки, и лайнер может только подчиниться законам природы и взмыть вверх.

Самолет прошел технический осмотр, прежде чем его отбуксировали ко взлетной полосе. Перед пилотом простирается широкая, ровная взлетная полоса. Он разгоняется до рассчитанной скорости взлета, оттягивает назад рычаг, и самолету ничего не остается, как взлететь. Что тут может произойти?

Я уверен, что вы вспомнили о многих опасностях. В следующих главах мы поговорим о них. Возможно, чаще всего возникает боязнь того, что

ОТКАЖЕТ ДВИГАТЕЛЬ.

11

Отказ двигателя

Я подсчитал, что за свою жизнь проехал более 800 тыс. км, и, кроме тех моментов, когда у меня кончался бензин, могу вспомнить только два случая, когда прямо во время движения двигатель внезапно глох. В среднем это случается один раз на 330 тыс. км. Я думаю, что данный факт говорит в пользу среднестатистического автомобильного двигателя, особенно если учесть, что в пору своей молодости я мог позволить себе только подержанные драндулеты, причем произвести их техническое обслуживание мне было уже не по средствам.

Однако я полагаю, что на этом основывался мой страх перед полетами. Стоит только поломке случиться в воздухе, самолет рухнет, как камень на землю, и тебе конец. Современный реактивный двигатель менее сложен, чем обычный автомобильный двигатель. У него меньше подвижных частей, и он, по сути своей, более надежен. Он проходит технический осмотр и обслуживание после каждого полета и периодически снимается с борта для капитального ремонта. Если у механиков, бортового инженера или пилота возникает малейшее подозрение, что двигатель неисправен, то они даже не будут пытаться поднять самолет в воздух.

Средний показатель поломок, приходящихся на милю у современного реактивного двигателя, на самолетах, входящих в «ПЕРЕЧЕНЬ» составляет менее единицы на 10 млн. Большинству пилотов за время всей их профессиональной деятельности ни разу не приходилось испытать на себе, что такое неисправность двигателя. Даже если у реактивного самолета четыре двигателя, он может лететь и безопасно приземлиться только на одном!

Вернемся к аналогии с автомобилем. Если бы в моей машине было два двигателя, то она могла бы сломаться только один раз за 825 млн км. Мне бы пришлось прожить 700 тыс. лет, для того чтобы это произошло. А это дольше, чем все существование человеческой расы на планете! Если бы вы были первым человеком на этой планете и жили вечно, то вы бы летали с момента своего рождения до 2000 года н. э., так ни разу и не увидев поломки двигателя. Шансов на это — не более одного на 100 трлн, и вам бы пришлось ждать 100 млрд лет. Это в 100 тыс. раз дольше, чем человек существует на планете, а поскольку все самолеты, включенные в «ПЕРЕЧЕНЬ», имеют два или более двигателей, я думаю, вы согласитесь со мной, что неисправность двигателя не является поводом для тревоги.

Но что произойдет, если один двигатель все же выйдет из строя в критический момент взлета? Даже при вероятности, равной одному к 10 млн помните, что самолет уже набрал скорость, большую, чем ему необходимо для безопасного взлета; другой двигатель (или двигатели) вполне способен удержать самолет в воздухе. Однако существует еще один важный фактор: самолет, независимо от его веса, не падает подобно камню даже в тот момент, когда у него отключена тяга.

Вспомните, как Эвел Книвель* пролетает на своем мотоцикле через 20 двухэтажных автобусов. Мотоцикл двигается вперед только с помощью своих колес, имеющих сцепление с дорогой, поэтому в тот момент, когда под ним не оказывается асфальта, действует та же сила, что и при остановке работы двигателя. Так вот, и мотоцикл, и мотоциклист — относительно тяжелые объекты, предназначенные для того, чтобы оставаться на земле; упадут ли они подобно камню? Никоим образом. Они удерживаются в воздухе силой инерции.

Однажды средства массовой информации передали новость о том, что у частного самолета отказал его единственный двигатель. Пилоту пришлось пролететь в планирующем полете более 50 км, чтобы совершить безопас-

---

* Эвел Книвель — американский каскадер, известный своими трюками на мотоциклах.

ную посадку в ближайшем аэропорту. Нет необходимости говорить, что создалось впечатление, будто он чудом избежал аварии. Но это было вовсе не чудо. Самолеты сконструированы так, чтобы осуществлять планирующий спуск. Многоразовый космический аппарат тоже постепенно спускается в планирующем полете, прежде чем безопасно приземлиться после входа в атмосферу. Даже если все четыре двигателя большого современного реактивного самолета выйдут из строя в одно и то же время на высоте 10 тыс. м, то он сможет планировать еще 265 км и совершить вполне безопасную посадку. Самолеты не падают как камни, даже когда тяга двигателя полностью прекращается.

Если приборы покажут какую-либо неисправность во время начальной фазы полета, но до момента отрыва от земли, то пилот прекратит полет. Но достаточно ли длинна взлетная полоса, чтобы безопасно остановиться? Простой ответ на это: «Да». Как и в том, что касается других аспектов современной коммерческой авиации, здесь предусматривается большой запас прочности.

Вам стоит посетить ближайший аэропорт, в большинстве из них есть смотровые площадки для публики. Возьмите с собой детей и отнеситесь к этому посещению, как к захватывающей прогулке. Стоит выбрать для этого хороший день. Не выбирайте день когда ветрено или идет дождь, когда и у вас могут возникнуть жуткие предположения. Понаблюдайте, как самолеты один за другим безопасно взлетают и приземляются без всяких приключений. В частности, заметьте, какая относительно небольшая часть взлетной полосы требуется крупному реактивному самолету, когда он взлетает или идет на посадку. После нескольких часов наблюдения вся процедура становится привычной и скучной.

Если неисправность случается после взлета, пилот приземляется тотчас же либо делает это в ближайшем аэропорту.

Но помимо отказа двигателя может возникнуть множество других механических неисправностей, например в гидравлике. А действительно ли шасси и закрылки зависят от работы гидравлики? Что произойдет, если гидравлика выйдет из строя? Опять вы насмотрелись фильмов о войне? Конечно, эти механизмы зависят от гидравлики, но точно так же, как и с двигателями, любая жизненно важная для безопасности функция самолета дублируется, а иногда повторяется три или четыре раза. Гидравлика — это классический пример. Контроль осуществляется тремя независимыми системами, каждая из которых способна работать самостоятельно. Даже если все три окажутся неисправны в одно и то же время, то имеющаяся система аварийной защиты позволит самолету лететь и безопасно приземлиться.

Я уверен, вы можете припомнить множество мнимых опасностей. Перестаньте беспокоиться, если вы вспомнили о них. Предоставьте решать эти проблемы профессионалам. Если эти технические аспекты действительно жизненно важны, система при необходимости будет продублирована трижды. Но

ЧТО ПРОИЗОЙДЕТ, ЕСЛИ ОТВАЛИТСЯ КРЫЛО?

12

Что произойдет, если отвалится крыло?

По всей видимости, вы умрете. Но этого еще никогда не происходило, и будем надеяться, не произойдет. Сейчас мы вступаем в область фантазий. Однако мне приходится признаться, что раньше меня беспокоила такая мысль. Я думаю, это было связано с тем, что я мог видеть, как крыло действительно двигалось. Нет, я не говорю о закрылках или подкрылках; я знаю, что они должны двигаться. Я говорю обо всем крыле. Предполагалось, что я сижу в самолете с фиксированными крыльями, но я видел, что крылья гнутся. Я не понимал, что крылья специально сделаны так, чтобы гнуться, и это их существенное достоинство. Вспомните плакучую иву во время бури. Ее ветви гнутся под порывами ветра, но не ломаются, тогда как более мощные ветви других деревьев с треском падают на землю.

Как и все части конструкции самолета, крылья во время испытаний подвергаются давлению, во много раз более сильному, чем то, которое, возможно, им придется выдерживать во время реального полета. Беспокоиться о том, что крыло отвалится на скорости 800 км/ч, все равно что предполагать, будто у вас отвалится рука при скорости ветра в 16 км/ч. Этого просто не может произойти.

Признаюсь, что некогда я тоже испытывал подобные страхи; они, как правило, появлялись и сковывали мое сердце ужасом тогда, когда возникала

ТУРБУЛЕНТНОСТЬ.

13

Турбулентность

Что такое турбулентность? Она возникает, когда внешние воздушные потоки сталкиваются и становятся хаотичными. В большинстве случаев это происходит, когда самолет после взлета или перед посадкой попадает во фронт облаков или во время непогоды.

Влияние турбулентности проявляется в том, что нарушается плавность полета. Эти нарушения могут варьировать по своей интенсивности от незначительных вибраций до настоящего бафтинга* самолета. При низком уровне турбулентность причиняет не больше неудобств, чем езда в автомобиле по хорошей дороге. При среднем уровне ее интенсивности я бы описал это как езду по булыжной мостовой или верхом на лошади, идущей рысью, когда вы не можете попасть в ритм. В самом худшем случае это похоже на плавание в маленькой лодке по слегка волнующемуся морю.

Иногда турбулентность возникает, когда на небе нет ни облачка. Она называется турбулентностью при ясном небе. Мне она казалась более страшной, чем в тех случаях, когда самолет попадал в облака или летел в непогоду. Я считал, что вибрация вызвана не воздушными потоками, а неполадками в самом самолете.

Меня в основном беспокоила не турбулентность, а убеждение в том, что мы находимся в опасности. Я уже совершил более 200 полетов за свою жизнь и считаю, что в каждом из них были моменты небольшой турбулентности. Временами она была настолько незначительной, что ее

---

* Бафтинг — вынужденные колебания летательного аппарата под воздействием нестационарных аэродинамических сил.

можно было заметить лишь по дребезжанию моей кофейной чашки.

Только один раз я попал в сильную турбулентность. Для таких, как я, не выносивших даже ярмарочных аттракционов, это было поистине неприятным переживанием. Именно тогда я, увидев, как крылья прогибаются, поверил, что мы действительно попали в опасную ситуацию.

Я обещаю вам, что для современного реактивного самолета турбулентность представляет не бо́льшую угрозу, чем булыжная мостовая для вашего автомобиля. Она, возможно, причиняет неудобства, но в истории современной авиации не было еще ни одного случая аварии, вызванной турбулентностью. Она может причинять неудобства, но

ОНА НЕ ОПАСНА!

Оказалось, что мне трудно понять, насколько мое чувство неприязни по отношению к турбулентности связано с чисто физическими ощущениями и моим страхом перед воображаемой опасностью. Я могу сказать вам: лишь с тех пор, как я перестал бояться, турбулентность беспокоит меня не более, чем езда по булыжной мостовой.

Вам, возможно, будет приятно узнать, что современные реактивные самолеты оснащены радарами, задача которых состоит не только в том, чтобы не допустить столкновения с другими самолетами и горами, но и в том, чтобы уберечься от ненастной погоды. Если даже в самолет ударит молния, она не причинит вреда ни самому воздушному лайнеру, ни тем, кто в нем находится. Тем не менее радар может определить плохие погодные условия более чем за 500 км. Пилот избежит ненастной зоны и турбулентности не потому, что они представляют какую-либо опасность для самолета. Он и его коллеги — это преданные своему делу профессионалы, которые хотят обеспечить вам по возможности самый приятный полет.

У каждого полета есть заранее составленный план, о котором мы поговорим позднее. Одна из задач этого плана состоит в том, чтобы избегать ненастья. Если метеоусловия меняются во время полета, то, чтобы обойти зону неблагоприятных атмосферных явлений, пилот радирует об этом службе управления полетами, в которой также работают опытные профессионалы, призванные обеспечить ваш комфорт; они сделают все от них зависящее, чтобы пересмотреть план полета и избежать нештатной ситуации. Однако план полета меняют только при условии, что это безопасно.

В любом аспекте своей деятельности авиация ставит

БЕЗОПАСНОСТЬ НА ПЕРВОЕ МЕСТО!

Обеспечение пассажирам комфортных условий в полете занимает второе место по значимости, но все же это не уступает обеспечению безопасности. Это происходит потому, что мы на борту самолета выступаем в роли клиентов, по вопросу приоритетов которых был проведен ряд исследований. В каждом из опросов пассажиры были единодушны в том, что они скорее заплатили бы бо́льшую сумму, чем стали рисковать своей безопасностью. Между прочим, точно так же считают и члены команды самолета.

Турбулентность при ясном небе трудно определить. К счастью, такое явление довольно редко, и, поскольку между самолетом и службой управления полетами происходит постоянный обмен информацией, велика вероятность того, что о ней сообщит какой-нибудь другой самолет и этой зоны можно будет избежать.

Джойс и я очень рады, что у нас есть круг друзей, которым нравится где-нибудь пообедать под хорошую музыку. Большую часть вечера мы ведем себя соответственно возрасту и наблюдаем, как веселится молодежь, но если звучит песня нашей молодости, например,

«ВСТРЯХНИСЬ, ПОВЕСЕЛИСЬ!»*,

тогда мы не можем усидеть на месте, так же как и аскоттская шляпка не может удержаться на голове красавицы. Мы можем показать юнцам, что такое настоящие танцы!

---

* «The hippy, hippy shake».

Мы выходим на танцпол, скачем и крутимся, встряхивая наши старые кости куда сильнее, чем если бы мы страдали от очень сильной турбулентности.

Любому начинающему наезднику знакомы описанные выше ощущения. Глупая лошадь даже не галопирует, но, когда седло подскакивает, всадник опускается, и наоборот. Это все равно что танцевать джайв* с кем-то, кто танцует совсем в ином ритме, чем вы. Но вы испытаете радость, когда научитесь ехать рысью, двигаясь в унисон с вашей лошадью, или танцевать джайв одном ритме с вашим партнером.

То же можно сказать и о турбулентности: вы можете с ней бороться и чувствовать себя неудобно, а можете научиться «скакать» или «танцевать» вместе с нею. В конце концов, это ведь не опасно, вы либо раскачиваетесь, либо подпрыгиваете, можете даже напевать про себя какую-нибудь песню. Если вы пристегнуты ремнем безопасности, то пролитый напиток — самое худшее, что может произойти с вами во время турбулентности.

Именно очень сильная турбулентность создала миф о воздушных ямах. Этот явление относится к временам пропеллерных самолетов. Такой самолет действительно мог нырнуть в воздухе на несколько метров вниз, попадая в область разреженного воздуха. Пропеллерам тем не менее не оставалось ничего иного, как продолжать вертеться, чтобы удержать самолет в воздухе.

Теперь мы уже знаем из сравнения самолета с мотоциклистом Эвелом Книвелем, что даже при отсутствии тяги летящее тело не падает, как камень. Еще менее вероятно, что оно упадет в вакууме, ведь спутники продолжают вращаться вокруг Земли, даже когда их двигатели отключены.

На самом деле турбулентные воздушные потоки заставляют самолет быстро опускаться или подниматься. Амплитуда колебаний при этом, по-видимому, сильно преувеличивается. Мы все испытывали неприятное чувство, когда, шагнув с лестницы, обнаруживали внезапно,

---

* Джайв — быстрая музыка, популярная в конце 50-х — начале 60-х годов XX в.; так же называется танец под эту музыку.

что на ней есть еще одна ступенька. Кажется, что летишь вниз на метр, а оказывается, что всего на высоту ступени. То же самое относится и к турбулентности. Полет проходит ровно и спокойно, и когда начинается бафтинг, то каждый подъем или падение для нас неожиданны, они производят эффект «лишней ступеньки». Когда вы научитесь понимать турбулентность, то этот эффект исчезнет.

Воздушные ямы сохраняются в течение доли секунды. Когда ударяет молния, то в воздухе возникает разреженное пространство. Гром — звук, издаваемый воздухом, стремящимся заполнить образовавшийся вакуум. Если самолет должен пролететь через эту область за ту триллионную долю секунды, что она существует, то он ни на йоту не отклонится от своего курса.

Итак, можно не принимать в расчет отказ двигателя, отвалившееся крыло, турбулентность и плохие метеоусловия, но разве большинство аварий не связано с

ЧЕЛОВЕЧЕСКИМ ФАКТОРОМ.

14

Человеческий фактор

Я не сомневаюсь — больше всего моему страху перед полетами способствовал тот факт, что самолет вел не я сам. Моя судьба в буквальном смысле зависела от нескольких людей, совершенно мне незнакомых, и малейшая ошибка одного из них могла стоить мне жизни. Опыт, который я получил от встреч с несколькими Юджинами, ни в коей мере не помог мне. Но в автомобиле вы, по крайней мере, можете видеть, куда едете, и если дело примет опасный поворот, то, возможно, сможете выскочить.

Я считаю, что формированию моего представления о типичном пилоте также способствовал Голливуд: это бесстрашный смельчак, который, если не сдержать его, будет делать одну мертвую петлю за другой. Герой битвы за Англию Дуглас Бейдер лишился ног не потому, что его сбил вражеский самолет, а потому, что демонстрировал бреющий полет. К сожалению, Дуглас тогда не учел допустимый предел снижения.

Сейчас, когда я знаю, каковы общий характер, качество и уровень профессиональной подготовки современных пилотов коммерческих реактивных самолетов, я краснею при воспоминании о том, насколько невежествен и глуп я был, сомневаясь в них, хотя у меня были все основания думать о них лучше.

Выше я упоминал о том, что во время двухлетней службы в армии подавал заявление о зачислении в отряд пилотов. В те дни значительное число «сливок» британской молодежи предпочитало служить в королевских ВВС, а не в армии или на флоте, и для того, чтобы вас рассматривали как кандидата в члены экипажа, нужно было, чтобы вы представляли собой ПОМ. Нет, это не то слово, которым австралийцы трогательно называют англичан; ПОМ означает — потенциальный офицерский материал.

Так вот, мое отношение к авиации в целом было следующим: мне предстоит потратить в армии два года своей жизни, так почему бы мне не научиться чему-нибудь полезному, например летать. Нас предупредили, что для того, чтобы быть принятыми, необходим очень высокий уровень подготовки, но я этого не боялся, так как в школе был капитаном команд в регби и крикете и считался достаточно остроумным человеком. В конце концов, это ВВС пригласили нас написать заявления, потому что им, должно быть, очень нужны пилоты, поэтому я окажу им любезность и стану одним из них.

Собеседование проходили более 500 кандидатов в ПОМ, размещавшихся в лагере Хендон королевских ВВС. Почти два дня ушло на прохождение медицинской комиссии, суровее которой я надеюсь никогда в жизни не проходить. Учтите, что все мы были молодыми тренированными парнями, и уже прошли очень строгую медкомиссию, чтобы попасть в ВВС. Комиссия в Хендоне отобрала менее 20% призывников. Рад сообщить, что я оказался среди них.

Остальная часть недели прошла в выполнении заданий на внимание и координацию, а также письменных тестов. В результате из 500 с лишним призывников ни один человек не был принят для обучения на члена экипажа самолета. В то время меня это довольно сильно задело: как это они не смогли признать во мне человека, который, по всей вероятности, станет лучшим пилотом среди известных им до сих пор. Возможно, поэтому момент, на котором я теперь хочу заострить ваше внимание, у меня в памяти не запечатлелся. Если вы подумали, что я собираюсь бахвалиться, то ошиблись. Я хочу сказать лишь то, что и физически, и психологически, и с точки зрения координации, рефлексов или ума человек, управляющий самолетом, на котором вы летите, — это:

ЛУЧШИЙ ИЗ ЛУЧШИХ.

Если вас беспокоит, что у него может случиться сердечный приступ, то рядом с ним столь же компетентный человек —

второй пилот. Второй он не потому, что хуже, — на самом деле, он весьма опытный летчик, вполне способный безопасно вести и посадить самолет, — просто он еще не налетал достаточное количество лет, требуемых для того, чтобы получить квалификацию старшего пилота. На случай (его возможность составляет один к триллиону), если у второго пилота тоже случится сердечный приступ, имеется гениальная система, называемая автопилот. Простое нажатие кнопки — и самолет завершит полет и благополучно приземлится.

Только на мгновение представьте себя на месте владельцев авиакомпаний. Когда я служил в ВВС, там говорили: на каждого человека в воздухе приходится 1000 преданных своему делу людей на земле. Невероятные суммы денег вкладываются в подготовку этих специалистов. Сам самолет стоит несколько миллионов долларов. Авиакомпании ни за что не станут вверять свои огромные капиталовложения летающим подобиям Юджина или иным безрассудным смельчакам!

Время от времени до вас доходят слухи о том, что авиакомпании снижают свои издержки или за счет сокращения процедуры технического обслуживания, или за счет использования нестандартных запасных частей. Я не говорю, что такого никогда не было, но такого никогда не было с самолетами и компаниями, входящими в «ПЕРЕЧЕНЬ». Как бы ни были огромны издержки авиакомпании в случае аварии, повлекшей гибель людей и оборудования, они все равно будут незначительны по сравнению с потерями доходов, если компания приобретет репутацию ненадежной. Это означает неминуемое банкротство.

Авиакомпании нанимают только лучших пилотов, которые приобрели свой опыт либо на военной службе, либо в гражданской авиации, либо и там, и там. Затем их обучают летать на конкретном типе самолета. Большая часть обучения проходит на тренажерах, и инструктор следит за тем, чтобы были отработаны все положенные нештатные ситуации, причем всегда дается минимальное время. Чрезвычайные обстоятельства в реальной жизни крайне редки, но если они действительно возникают, то кажутся скорее обычными по сравнению с тем опытом, который пилот приобретает на тренажере.

Авиакомпаниям, особенно тем, кто входит в «ПЕРЕЧЕНЬ», действительно повезло в том плане, что профессия пилота, почти как профессии, связанные с шоу-бизнесом, очень популярна. На каждую вакансию находятся тысячи претендентов, и авиакомпании могут выбирать

ЛУЧШИХ ИЗ ЛУЧШИХ.

Они не выбирают героев. Для них самое важное — безопасность. Они ручаются, что пилоты думают не только о безопасности пассажиров, но и о своей собственной. Если вы беспокоитесь только о своем полете, то вспомните, что пилот и весь экипаж не проводили бы большую часть своей жизни в воздухе, если бы не знали, что это абсолютно безопасно. Они не безмозглые и бесстрашные идиоты, а весьма разумные и чуткие люди, которые не желают рисковать ни своими собственными жизнями, ни вашими.

Голливуд, вероятно, вбил вам в голову, что пилотирование — это работа, связанная с крайним напряжением, и что поэтому для пилотов обычное дело — прибегать к алкоголю или к наркотикам, чтобы справиться с постоянным стрессом. Нет, полет вызывает стресс только у тех, кто не понимает, насколько он безопасен; пилотирование действительно очень ответственная работа, но нести ответственность и нервничать не одно и то же. Сам процесс отбора пилотов гарантирует, что на эту должность будут приняты только те, кто достаточно обучен, чтобы выполнять столь серьезную работу.

Возможно, нет другой профессии, где нужно было бы так же часто проходить медицинскую проверку физического и психологического состояния, как это приходится делать летчикам. В отношении употребления алкоголя и прочих наркотических средств существуют строгие правила. Пилоты — высокооплачиваемые, преданные своему делу профессионалы. Они любят свою работу и вряд ли захотят лишиться лицензии ради того, чтобы развлечься с друзьями в теплой мужской компании. Даже если они позволят себе лишнее, то в кабине самолета не принята омерта*, это не мафия. Если вы нарушите кодекс молчания в мафии, то рискуете своей жизнью. В авиации все совсем наоборот: вы рискуете жизнями и своей, и ваших коллег, и пассажиров, если умолчите о допущенной слабости.

В случае, если некий член экипажа ведет недопустимый образ жизни, остальные члены экипажа сразу это понимают, а если они этого не заметят или не сообщат об этом, то потеряют свою работу. В гражданской авиации безопасность превалирует над всем остальным. Так и должно быть.

В моей анкете было три вопроса.

1) Вам страшно водить автомобиль?

2) Вам страшно, когда вас везет определенный водитель?

3) Вам страшно, когда вас везут *любые* водители?

На второй вопрос 89% участников опроса ответили «да». Только 11% испытывали страх, когда вели машину сами, но удивительно было то, что 22% не испытывали страха, когда их везли другие водители. Почему меня это удивляет? Потому что при разговорах с теми, кто испытывает СПП, у меня сформировалось четкое представление: проблема в основном сводилась к тому, что они не контролировали происходящее. Я тоже всегда думал, что это основная причина моего страха. Подлинное ощущение невозможности контролировать ситуацию сводится не столько к тому, что пилот не ты, а к непониманию происходящего или недоверию к экипажу.

Когда вы смотрели игру в гольф по телевидению, то, вероятно, слышали, как комментатор говорит:

«Если бы ваша жизнь зависела от погашения этого патта**, вы бы не нашли никого лучшего, чем...»

---

*   Омерта — обет молчания у членов мафии.

** Патт — легкий удар клюшкой-паттером для посыла мяча в лунку при игре в гольф.

Если вы уже летите, то вам и остальным пассажирам очень повезло, что не вы управляете самолетом, поэтому даже не пытайтесь этого делать! Просто откиньтесь в кресле, расслабьтесь и наслаждайтесь полетом. Вам ничто не угрожает, и все потому, что человек, управляющий самолетом, в своем роде

ТАЙГЕР ВУДС*.

«Хорошо, я согласен с вами в том, что члены экипажа самолета не проводили бы половину своей жизни на высоте 10,5 км над землей, если бы не были убеждены в своей безопасности. А как же механики и диспетчеры? Ведь их жизни не подвергаются опасности».

Вы правы, но они тоже преданные своему делу профессионалы. И именно потому, что ваша жизнь зависит от них, к их подбору, обучению и контролю над ними предъявляются такие же строгие требования. Самолеты проходят техническое обслуживание после каждого полета и подвергаются регулярным, тщательным проверкам. Механики, так же как их контролеры, должны расписываться за выполненную работу. Кроме того, весь летный персонал: и члены экипажа, и представители наземных служб — регулярно контролируется Управлением гражданской авиации, которое полностью независимо от авиакомпаний и заранее не сообщает о своих проверках.

Поставьте себя на место диспетчера полета или механика. От вас зависят сотни жизней, не говоря уже о вашей репутации и карьере. Возьмете ли вы на себя риск разрешить вылет самолета, не будучи на 100% уверены, что с механикой у него все в порядке, прекрасно сознавая, что, если выявится какое-либо механическое повреждение, ситуация будет расследована и ваша вина станет очевидна?

---

*   Тайгер Вудс — американский профессиональный игрок в гольф. Сейчас он считается игроком номер один в мире.

«Я допускаю, что они опытны и преданны, но ведь они люди, и как бы то ни было, могут совершить ошибку. Нужна только одна ошибка и мне конец».

Вовсе нет! О современной гражданской авиации говорят, что она напоминает «пояс с подтяжками», т. е. многократно перестраховывается. Выражение, хотя и подходящее, но несколько преуменьшающее реальную степень предусмотрительности. Конечно, человеку свойственно ошибаться. Поверьте мне, что авиакомпании лучше вас осознают это. Правда и то, что за сравнительно короткую историю авиации многие аварии были связаны с ошибками человека. Однако основной фактор, который делает современную гражданскую авиацию столь надежной, состоит в том, что после каждого такого случая проводится расследование для определения его истинной причины. Независимо от того, объясняется ли авиакатастрофа ошибкой человека, механической неисправностью, саботажем или неблагоприятным сочетанием нескольких факторов, в технику обеспечения безопасности вносятся такие изменения, которые гарантируют, что в случае возникновения данной комбинации факторов в будущем это не приведет к катастрофе.

Типичный пример — случай, когда оба пилота одновременно пострадали от пищевого отравления, так как выбрали одно и то же блюдо, оказавшееся некачественным. Не произошло никакой аварии, но теперь введено правило, согласно которому пилотам запрещается есть одно и то же блюдо.

Пилоты, инженеры, механики и диспетчеры полетов — люди, и они действительно несовершенны; вот почему во всех процедурах делается допуск на ошибку, гарантирующий, что в случае ее возникновения это не приведет к катастрофе.

«Хорошо, — скажете вы. — Меня убедили в том, что самолет не рухнет с неба, что крылья не отвалятся и плохая погода не опасна. Я также убедился, что экипаж, механики и диспетчеры полета — добросовестные и компетентные люди, и если они и совершают ошибку, то в процедурах управления полетом предусмотрена система повышенной надежности, чтобы исправить или устранить эту ошибку. А как насчет всех этих опасных сближений, о которых мне все время приходится читать; я слышал, что авиалинии сейчас слишком перегружены. Почему все эти диспетчеры постоянно бастуют? Разве не потому, что они переутомляются и им мало платят? Крылья, возможно, и не отвалятся, но что будет, если мы столкнемся с другим самолетом или врежемся в гору?»

Я не могу не согласиться с вами. Именно так думал и я и не сомневаюсь, что подобные мысли во многом способствовали моему страху перед полетами. Поэтому давайте подробнее узнаем о

ДИСПЕТЧЕРАХ ПОЛЕТОВ.

15

Диспетчеры полетов

Судя по сообщениям средств массовой информации, диспетчеры полетов постоянно бастуют. Если они бастуют из-за переутомления или потому, что авиалинии опасно перегружены, то тогда я их понимаю и поддерживаю. Все, что делает полеты еще более безопасными, чем они сейчас есть, всегда находит мою поддержку.

Однако мы должны рассматривать все явления в их взаимосвязи. С начала движения самолета к взлетно-посадочной полосе до момента, когда он заканчивает торможение в аэропорту назначения, за ним все время следят на экране радара. От первоначального разгона и взлета, в ходе полета и до приземления за ним наблюдает специально выделенный диспетчер.

Небо — это не огромное открытое пространство, в котором самолеты могут передвигаться на любой высоте и в любом направлении. Оно разделено на специальные авиамаршруты, так же как дороги на земле. Однако есть одно очень важное различие. Если на шоссе автомобили могут нестись рядом, разделенные только несколькими сантиметрами, а по скоростному шоссе они мчатся навстречу друг другу на скорости, приближающейся к 240 км/ч, то самолетам выделяется их собственная индивидуальная трасса.

Самолет, летящий на высоте 10 км, располагается в пространстве таким образом, что ближайший самолет под или над ним находится на расстоянии 6 км, а впереди или сзади — не менее чем за 16 км. Вам это кажется опасным? Представьте себе, насколько безопасной была бы езда в автомобиле, если бы все машины держались друг от друга, по крайней мере, на расстоянии в 16 км. Контроль над воздушным движением гарантирует, что вы не столкнетесь с другими самолетами, не налетите на гору или другое препятствие.

«Если все обстоит именно так, то почему же тогда происходят случаи, когда самолеты едва не сталкиваются друг с другом? Как доходит до того, что самолеты действительно сталкиваются или врезаются в горы?»

Вот здесь мы и вернемся к необходимости рассматривать все явления в их взаимосвязи. Мы думаем: выражение «почти столкнулись» означает, что самолеты пролетели на расстоянии нескольких метров друг от друга. Фактически же это значит, что два самолета сблизились на расстояние меньшее, чем этого требуют установленные правила. Как и во всех других аспектах воздухоплавания, здесь предусмотрен резерв безопасности. Вероятность столкновений в воздухе на линиях, включенных в «ПЕРЕЧЕНЬ», составляет менее единицы к нескольким миллиардам. Самолеты действительно сталкиваются и врезаются в горы, но подобное происходит настолько редко, что такое событие всегда попадает на первые полосы новостей, будь то частный или военный самолет и не важно где в мире это произошло. Вероятно, это само по себе подтверждает, насколько вообще безопасны полеты. Однако когда вы поймете, что столкновения происходят с военными или частными самолетами, какое большее доказательство необыкновенной безопасности полетов самолетов, входящих в «ПЕРЕЧЕНЬ», вам потребуется?

А теперь давайте разберемся с другими опасностями, которые тоже преувеличивают средства массовой информации. Начнем с

УГОНА И ДИВЕРСИИ.

16

Угон и диверсия

Десять лет назад казалось, что самолеты угоняют или взрывают каждый день. То, что власти уступали угонщикам, лишь усугубляло ситуацию. Однако, как и во всем, что связано с безопасностью, индустрия гражданской авиации извлекла урок из этого опыта. Диверсанты и угонщики, как правило, рассчитывают на простачков, а гражданская авиация перестала быть таковой.

Во всех аэропортах, входящих в «ПЕРЕЧЕНЬ», действуют тщательно продуманные системы досмотра пассажиров и багажа. Некоторые из них на виду, другие скрыты, и меня приятно успокоило, когда соответствующие ведомства по вполне понятным причинам отказались сообщить мне какие-либо подробности.

Самой существенной стороной проблемы угонов и диверсий является то, что в настоящее время они стали довольно редким явлением в авиации. Даже в худшие времена большинство таких случаев происходило во время рейсов, не входящих в «ПЕРЕЧЕНЬ», и с ними успешно справлялись без причинения вреда пассажирам.

Заметным исключением была катастрофа в Локерби. Занимаясь своим исследованием, я опросил сотни людей: какая последняя авиакатастрофа им запомнилась? Мало кто мог вспомнить хотя бы об одной. Но большинство тех, кто помнил, назвали авиакатастрофу в Локерби. Несколько человек вспомнили мюнхенскую авиакатастрофу. Авиакатастрофа в Локерби произошла 10 лет назад, а в Мюнхене — более 40 лет назад. Маловероятно, что эти бедствия могли бы произойти, если бы тогда существовали современные системы аварийной защиты

и системы безопасности*. А теперь давайте избавимся
еще от двух источников страха, которые могут вызывать
беспокойство у людей, испытывающих СПП:

ТУМАН И ТОПЛИВО.

---

*   Наиболее памятная на сегодняшний день авиакатастрофа, причиной
которой стал терроризм, произошла 11 сентября 2001 г. в Нью-Йорке.
Однако меры безопасности, введенные после этих событий, стали еще
более жесткими.

17

Туман и топливо

Несомненно, что в прежние времена туман действительно представлял угрозу для полетов. Сегодня все изменилось. Туман все еще может быть помехой, но это случается довольно редко. Основой для кардинальных перемен в этой области стали три основных фактора.

Первый фактор — это закон о чистом воздухе. С тех пор как в Англии было запрещено сжигание некоторых видов ископаемого топлива, у нас уже не наблюдается густых желтых туманов, во время которых видимость снижается до нескольких метров. Аналогичные шаги были предприняты и в других зонах, упомянутых в «ПЕРЕЧНЕ». Второй фактор — это колоссальный технический прогресс, как в прогнозировании погоды, так и в развитии систем связи и оповещения. Если метеоусловия, будь то туман, обледенение или что-либо подобное, представляют опасность, самолет не поднимется в воздух. Если аналогичные погодные условия преобладают в аэропорту назначения, то самолет тоже не взлетит.

«Но все мы знаем, что прогнозирование погоды — наука неточная, а полеты могут длиться по нескольку часов; что произойдет, если аэропорт прибытия покроется туманом за время полета?»

Совершенно независимо от капитана и экипажа перед каждым полетом составляется план. В этом плане учитываются метеоусловия, включая ожидаемое направление и силу ветра, предлагается самый безопасный и удобный маршрут. К основному весу самолета прибавляется вес пассажиров и экипажа вместе с их багажом. На основе этой информации рассчитывается количество топлива, необходимого для завершения рейса, причем в этот расчет входит и вес самого топлива.

Как всегда, поскольку дело касается безопасности самолета, к расчетам прибавляется резерв надежности (безопасности). Если по какой-либо причине самолет не может благополучно приземлиться в запланированном месте назначения, у него будет достаточный запас топлива, чтобы долететь до альтернативного, заранее оговоренного аэропорта и покружить над ним, по крайней мере, полчаса. Ко всем расчетам добавляется еще один резерв безопасности для того, чтобы подстраховаться на непредвиденный случай. Капитан проверяет план полета и имеет право подправить его, если сочтет что-либо в нем опасным. По закону он не может загрузить топлива меньше, чем предусмотрено планом. Однако он может взять больше топлива, если найдет это нужным.

Третий фактор, делающий туман опасным, — на самолетах, входящих в «ПЕРЕЧЕНЬ», имеются автопилоты, и они могут совершать посадку без всякого риска даже при нулевой видимости! Для аэропортов, оснащенных системой автоматического управления посадкой, туман не опасен при приземлении и может мешать только при выруливании.

Когда я начинал заниматься вождением, у меня постоянно кончался бензин, отчасти потому, что я не мог позволить себе залить более трети бака. Но основная проблема заключалась в том, что в те дни на автомобилях не было датчика топлива, который имеется на современных машинах. Я знаю, что искушаю закон подлости, но с тех пор за 20 с лишним лет вождения у меня ни разу не кончался бензин.

Сейчас вы уже знаете, что техника безопасности на современном гражданском самолете не позволяет ему остаться без топлива во время нахождения в воздухе. Количество и потребление топлива проверяются на протяжении всего полета, и даже если возникнет утечка, в тот момент, когда нехватка топлива станет потенциально опасной, самолет приземлится на ближайшем аэродроме, чтобы устранить неисправность и, если потребуется, запастись дополнительным топливом.

«А что, если утечка топлива на самолете обнаружится где-то на полпути над Атлантикой?»

Это еще один миф. Если вы изучите прямой маршрут между Лондоном и Нью-Йорком в обычном атласе, то подумаете, что придется лететь над океаном. Посмотрите на кратчайший путь на глобусе: он проходит через северную Европу и Канаду. Вам может показаться, что вы летите в основном над водой, ради снижения уровня шума или из соображений охраны окружающей среды. Но на самом деле вы редко удаляетесь от аэропортов. Мне не удалось обнаружить ни одного самолета из «ПЕРЕЧНЯ», который совершил бы вынужденную посадку на воду!

Но как вы можете наслаждаться полетом, если вы, хотя это вполне естественно,

БОИТЕСЬ ВЫСОТЫ?

18

Страх высоты

Я все еще страшусь высоты, но уже не боюсь летать. Может быть, это потому, что я сажусь как можно дальше от иллюминатора и заставляю себя не думать о том, что нахожусь на высоте более 10 км над землей? Напротив, я всегда предпочитаю занять место у иллюминатора, ведь даже над облаками открывающийся вид намного интереснее, чем интерьер самолета.

В ясный день вы получаете огромное удовольствие от полета, так как имеете возможность видеть ландшафт с огромной высоты. Нам всем нравится панорамный обзор. Если вы взберетесь на Эверест, то сможете увидеть мир с высоты 8839 м, но вы устанете, замерзнете и вам будет трудно дышать. А теперь представьте, какое удовольствие вы получите при виде открывающейся перед вами панорамы горной гряды со снежными шапками на вершинах, если при этом вы сидите в кресле, на вас рубашка с короткими рукавами, вам тепло, безопасно и удобно?

Однако я явно противоречу сам себе. Если бы я действительно боялся высоты, то уж никак не мог бы радоваться открывающемуся виду; наоборот, я оцепенел бы от страха.

Решение этой загадки в том, что никто не боится высоты как таковой. То, что мы испытываем или должны были бы испытывать, если мы нормальные люди, это не боязнь высоты, а боязнь упасть с высоты.

Позвольте привести пример: Титикака — это огромное озеро дивной красоты и прозрачности. Если бы вы стояли на берегу этого озера, то, помимо разреженного воздуха, ничто не дало бы вам почувствовать, что вы находитесь на большой высоте. Фактически же вы бы стояли на высоте 3810 м над уровнем моря, что приблизительно в три раза выше, чем Бен-Невис*.

Приведу пример из своего собственного опыта: если я нахожусь в высоком здании и мне нужно подняться, скажем, на тридцатый этаж, то в лифте я, возможно, испытаю страх перед растущим разрывом между мной и первым этажом. Но когда я выхожу из лифта, у меня уже нет никаких проблем, и я чувствую себя спокойно. Однако когда я приближаюсь к окну и с высоты тридцатого этажа не могу видеть ничего между собой и улицей внизу, страх снова возвращается. Все было бы еще хуже, если бы мне пришлось выйти на балкон.

Хотя я больше не боюсь лифтов, поскольку знаю, что лифт не может внезапно рухнуть в шахту, я по-прежнему испытываю тошноту возле окна или на балконе высотного здания. Но я не тревожусь, так как знаю, что вполне нормален и это моя защитная реакция. Просто я держусь подальше от окон, а если мне нужно выйти на балкон, то стою подальше от его перил.

Я могу без страха взобраться по лестнице, при условии, что

- я удостоверился, что основание лестницы стоит на твердой земле и под таким углом, что не позволит ей соскользнуть;

- верхушка лестницы опирается на прочную поверхность и тоже не соскользнет;

- я уверен в прочности перекладин и знаю, что они не сломаются;

- я могу держаться за боковины обеими руками, так чтобы в любой момент, по крайней мере, три из моих конечностей прочно соприкасались с лестницей.

Это все тот же синдром «пояса с подтяжками»; если я чувствую себя в полной безопасности, то не боюсь высоты. Точно так же, когда я сижу в самолете, то, независимо от того,

---

* Бен-Невис — самая высокая вершина Великобритании (1343 м).

на какой высоте от земли он находится, я не боюсь, потому что уверен в своей полной безопасности.

На своем собственном опыте, а также из разговоров с другими людьми, которые испытывали страх перед полетами, я убедился, что боязнь высоты — это именно боязнь падения. Точно так же и страх перед полетами — это на самом деле боязнь того, что полет опасен, и как только вы убеждаетесь в том, что нет никакой опасности, ваш страх исчезает.

Возможно, самым существенным вопросом в моей анкете был следующий:

Верите ли вы в то, что вы перестали бы бояться полетов, если бы заранее знали, что самолет благополучно приземлится?

Я с полным основанием ожидал, что на этот вопрос все единодушно ответят «да». Однако 22% участников опроса ответили на него отрицательно. Мне трудно было это понять. Я бы смирился, если бы полет был похож на опасные аттракционы. Меня удивило, кстати, что в анкете только 78% респондентов ответили, что боятся ярмарочных аттракционов. Я был убежден, что таких ответов будет 100%. Но я, если бы даже точно знал, что на аттракционе не подвергаюсь никакой опасности, все-таки старался избежать ситуации, когда мой желудок будто отделяется от остального тела. Полет в современном реактивном самолете вряд ли можно сравнивать с катанием на аттракционах. Даже в тех коротких и редких случаях, когда вы попадаете в турбулентность, это сопоставимо лишь с ездой по булыжной мостовой.

Поэтому я связался с каждым из упомянутых 22% респондентов и попросил их объяснить, почему они боятся полета, если знают заранее, что он закончится благополучно. Большинство не смогло дать вразумительного объяснения, а один из них сказал: «Просто я представляю себе огромное пространство между мной и землей».

Я мог его понять. Именно поэтому я все еще ощущаю страх, когда стою у перил балкона высотного здания. Но, несмотря на это, я не боюсь высоты, когда сижу в реактивном самолете на высоте 10 тыс. м над землей. Я думаю, что ключ к решению этой задачи можно отыскать в том полете на воздушном шаре, который мы с Джойс совершили над долиной Карсон в Неваде.

Это было в тот период, когда я уже переборол свой страх, но все еще чувствовал некоторые опасения. Когда я боялся полетов, то меня ни за что не могли бы заставить полететь на воздушном шаре. Меня до сих пор не удается уговорить пойти покататься на аттракционах. До и во время путешествия на воздушном шаре меня не покидало чувство волнения. В какой-то момент мы достигли высоты 1500 м, и пилот перекрыл горячий воздух. Но я не ощутил ни страха высоты, ни чувства опасности. На самом деле это было одним из самых незабываемых впечатлений в моей жизни.

Почему я не боялся упасть с высоты 1500 м, если я все еще боюсь подходить к краю балкона на высоте 9 м? Потому что край корзины находился на уровне моей груди, и, так же как на лестнице, я мог ухватиться за корзину обеими руками, что просто не позволяло мне выпасть из нее. Предположим, что шар внезапно устремится к земле. Но этого никак не могло произойти, поскольку он наполнен горячим воздухом, а корзина была прочно прикреплена к шару.

Бояться не было смысла, так как я знал, что никакой опасности нет. На балконе, где ограждение доходит до уровня моей талии, я могу соскользнуть или перевалиться через перила. Мне в голову приходили и такие мысли: вдруг инженер-строитель неправильно рассчитал вес, который может выдержать балкон? А вдруг те халтурщики, которые строили здание, использовали некачественные материалы? Поэтому я просто отступал поближе к стене, чтобы чувствовать себя в безопасности.

Позвольте мне объяснить вам это на другом примере. Земля каждые 24 ч совершает оборот вокруг своей оси, длина ее экватора составляет 40 225 км. Поэтому, находясь на ее поверхности, мы вращаемся со скоростью более 1609 км/ч. В то же самое время мы облетаем вокруг Солнца каждые 365 дней, или каждые 8760 часов. Я знаю, что расстояние от Солнца до Земли составляет 148 028 тыс. км, и если мой учитель математики учил меня хорошо и заслужил свою зарплату, то это означает, что каждые 8760 ч мы передвигаемся почти на 965 400 тыс. км, т. е. мчимся со скоростью почти 112 630 км/ч.

Когда в приятный солнечный день вы сидите в своем саду, спокойно покачиваясь в кресле-качалке, разве вы задумываетесь о том, что в данный момент мчитесь через космическое пространство со скоростью почти 112 630 км/ч, при этом вращаясь вокруг земной оси со скоростью 1609 км/ч? Разве вы ощущаете огромную Вселенную, которая окружает Землю? Тем не менее если бы Земля перестала вращаться вокруг своей оси, то вас бы вытолкнуло в пространство со скоростью 1609 км/ч, а если бы она вдруг перестала вращаться вокруг Солнца, то вы неслись бы в открытый космос со скоростью 112 630 км/ч. Тогда, пожалуй, вы бы поняли, что это за скорости.

Почему же мы не ощущаем этих невероятных скоростей, когда сидим в своем саду? Потому что и сад, и воздух над ним движутся и вращаются с такой же скоростью и в том же направлении. В каком-то смысле мы изолированы в своем собственном маленьком мире и не боимся, потому что знаем: Земля не перестанет двигаться и вращаться. Вот точно такое же ощущение было у меня во время полета на воздушном шаре. Я знал, что нет никакой опасности, и потому не боялся высоты. Я был укрыт в надежной корзине воздушного шара и потому ощущал себя, как если бы стоял на земле. Если не боишься высоты, то созерцать панорамный вид, открывающийся перед тобой, — это огромная радость, а мягкие перемещения воздушного шара то вверх, то вниз, его скольжение были похожи на покачивание в кресле-качалке.

Если вы перестали бояться, то полет в современном реактивном самолете создает те же самые ощущения. На высоте более 10 км не ощущаешь скорости. Вы изолированы, вам приятно, удобно и спокойно. У вас свое комфортное кресло, температура воздуха внутри самолета контролируется, и она вам подходит. Вы дышите чистым свежим воздухом, причем такого качества, которое вам будет недоступно, когда вы покинете самолет. Напитки и еду вам приносят привлекательные и жизнерадостные стюардессы. Правда, еда в самолетах стала почти таким же объектом для шуток, как сэндвичи и чай, которые подают в поездах британских железных дорог. Я согласен, что еще несколько лет назад такая репутация была оправданна. Однако индустрии гражданской авиации свойственна большая конкурентоспособность, и в последние годы авиакомпании, сделав невероятный рывок в обеспечении вашей и их собственной безопасности — приоритете № 1, такого же успеха достигли и в обеспечении вашего удовольствия и комфорта — приоритете № 2. Лично я нахожу, что обычные блюда, которые подаются на авиалиниях, входящих в «ПЕРЕЧЕНЬ», и питательны, и вполне съедобны.

Я понимаю, что кто-то все же подумает: «Даже если бы я знал, что самолет благополучно приземлится, все равно не смог бы преодолеть страха перед огромным пространством между мной и землей, отделенной от меня более чем 10 км». Но когда вы находитесь в салоне самолета, то практически не ощущаете этого расстояния между собой и землей, а просто сидите в удобном кресле. Если вы боитесь полетов, то вам трудно поверить, что бо́льшую часть рейса вы даже не осознаете того, что летите. Вы можете вполне спокойно в полном комфорте есть, спать или читать книгу.

Причина, по которой вы не боитесь, что Земля остановится, в том, что вероятность этого события слишком незначительна и вас не волнует. То же самое можно сказать и о рейсах, входящих в «ПЕРЕЧЕНЬ». Шанс того, что случится что-то плохое, настолько мал, что вам по этому поводу даже не стоит волноваться!

Вы можете сказать:

«Да, я знаю это, но один к миллиарду шанс может выпасть именно мне, а поскольку мне всегда "везет", это точно произойдет именно со мной!»

Ну, тогда вы невероятно глупы. Если вы беспокоитесь о том, что разобьется именно тот самолет, в котором вы летите, почему же вы тогда не боитесь, что тысячи других самолетов, которые каждый день летают над вами, упадут с небес прямо на вас? Разве вы прячетесь всякий раз, когда слышите гул самолета у себя над головой? Конечно, нет, потому что вы знаете, что самолеты просто не падают с неба.

Выше я писал, что вам не нужно будет призывать на помощь свою смелость. Вам нужна смелость, чтобы сесть в поезд? Согласно анкете единственным видом транспорта, на котором ни один из опрошенных не боялся ездить, был поезд. Почему? Потому что мы относимся к путешествию на поезде как к обычному и безопасному.

Единственное, чего я хочу добиться, чтобы вы мыслили позитивно. Вы читаете эту книгу, поскольку знаете, что страх, не дающий вам летать (или, если вы все же летаете, доставляющий страшные переживания), вовсе не такая уж приятная вещь. В то же время вы знаете, что самолеты «ПЕРЕЧНЯ» — это самый безопасный вид транспорта и ваши страхи беспочвенны.

Я хочу, чтобы вы признали неизбежность смерти. Раньше или позже, вы все равно умрете. Даже если вы проведете всю свою жизнь, летая на высоте 10 тыс м на самолете, входящем в «ПЕРЕЧЕНЬ», то вероятность того, что именно полет станет причиной вашей смерти, составит менее чем один к миллиону.

Поэтому перестаньте понапрасну терзать себя. Вам не нравится быть одним из тех, кто боится полетов. В вашей власти не только предпринять ваш первый или, возможно, очередной полет, но и действительно получить от него удовольствие. Жизнь дается не просто для того, чтобы существовать, а для того, чтобы прожить ее с полной отдачей.

Вот моя пятая рекомендация:

БЕРИТЕСЬ ЗА ДЕЛО!

Допустим, вам предстоит совершить первый или очередной полет, нравится вам это или нет. Так вот время, предшествующее полету, сам полет и ваша будущая жизнь могут либо превратиться в кошмар, либо стать радостным, дающим удовлетворение опытом.

Возможно, вам кажется, что все зависит от судьбы. Это не так. Все целиком зависит от вас. Пессимист видит стакан наполовину пустым, а оптимист — наполовину полным. Существуют два различных способа восприятия одной и той же ситуации. Если вы боитесь полета, проходящего в рамках «ПЕРЕЧНЯ», то воспринимаете фактически полный стакан как пустой.

Все абсолютно в вашей власти. Дело в том, что это будет очень приятным и безопасным опытом. У вас есть выбор: ждать с нетерпением волнующего и воодушевляющего события, которое на самом деле и произойдет, или исказить истинное положение вещей и превратить свое существование в кошмар. Выбор за вами. Так или иначе, но вам предстоит полет. Вы собираетесь сделать его ужасным или радостным? Глупый вопрос. Моя шестая рекомендация гласит: «Вы не только собираетесь предпринять этот полет, но будете ждать его с нетерпением и

ПОЛУЧАТЬ УДОВОЛЬСТВИЕ!»

Поскольку я открыл «Легкий способ» перестать курить, то вправе утверждать, что можно решить любую проблему психологического характера, касается ли это избавления от лишнего веса, алкогольной и иной зависимости, или чего-то еще в вашей жизни, что заставляет вас страдать. Это, возможно, и нетрудно, при условии, что вы будете выполнять мои рекомендации. Да, это легко, не стоит недооценивать себя. Все животные на планете от природы могут плавать. Только людям из-за того, что им с рождения «промывают мозги», приходится учиться плавать. Этот факт не уменьшает радости, которую испытывает каждый человек, когда он совершает свой первый гребок веслом или преодолевает вплавь первую дистанцию, осваивает водный велосипед или участвует в соревнованиях по плаванию.

Вы близки к тому, чтобы достичь чего-то удивительного: предвкушайте это и наслаждайтесь чувством, что вы близки к тому, чтобы разрешить терзающую вас проблему. Все рекомендации важны, но шестая самая приятная:

ПОЛУЧАЙТЕ УДОВОЛЬСТВИЕ!

Я понимаю, у вас, возможно, осталось кое-что в запасе, и я все еще не рассмотрел некоторые факторы, которые также могут вызывать страх перед полетами. Однако я хотел бы, чтобы вы поняли: дело не в количестве факторов, вызывающих страх, а в том, что они только кажутся вам существенными, потому что вы боитесь летать. Как только мы избавляемся от страха перед полетами, они теряют свое значение. Возможно, самое худшее из этих ощущений —

КЛАУСТРОФОБИЯ.

19

Клаустрофобия

Оксфордский словарь повседневной лексики определяет клаустрофобию так:

> *«Патологическая боязнь замкнутого пространства».*

Как я уже говорил, моя жена Джойс страдала клаустрофобией. Со мной такого никогда не было. Напротив, в детстве я часто пугал родителей, которые, войдя в комнату, обнаруживали, что мои ноги лежат на подушке, а голова закутана в одеяло в изножье кровати.

Я припоминаю, что это не беспокоило меня, но, хоть убей, не могу вспомнить, почему я так делал. Могу только предположить, что я боялся темноты или привидений, которых мог увидеть, или которые могли увидеть меня, если голова останется на подушке. Лишь когда я начал заниматься исследованием причин страха перед полетами, мне пришло в голову, что у Джойс клаустрофобия появлялась только тогда, когда она собиралась зайти в лифт. Так вот, оказалось, что, хотя я никогда не страдал клаустрофобией, я боялся лифтов, а если быть точным, некоторых из них. Более того, люди, которые считают, что они страдают клаустрофобией, обычно в качестве классического примера приводят свой страх перед лифтами.

На первом этаже нашего дома находится гардеробная — самое маленькое помещение в доме. Я спросил Джойс, испытывала ли она когда-либо клаустрофобию, когда входила туда. Ответом было выразительное «нет». Я обратил ее внимание на то, что эта комнатка в два раза меньше лифта, почему же тогда именно в лифте, а не здесь, у нее проявляется клаустрофобия?

Мы обсуждали эту проблему довольно долго. В конце концов она пришла к выводу, что ее клаустрофобия не сводилась только к боязни замкнутого пространства, а была сочетанием трех факторов:

1) страх падения с высоты в случае, если лифт рухнет;

2) страх оказаться в ловушке, если лифт сломается между этажами;

3) настоящая клаустрофобия. Если лифт действительно сломается, то вы оказываетесь в замкнутом пространстве, доступ кислорода может прекратиться, и вы задохнетесь.

Таким образом, так же как и страх перед полетами, клаустрофобия оказывается более сложным явлением, чем просто неестественная боязнь замкнутого пространства. Фактически в случае с Джойс замкнутое пространство не имеет ничего общего с ее страхом, и я подозреваю, что то же самое можно сказать об огромном большинстве людей, страдающих, по их мнению, клаустрофобией.

У Джойс ужас перед лифтами в действительности был сочетанием трех страхов:

• боязни большой высоты;

• боязни попасть в ловушку;

• боязни задохнуться.

Вы, вероятно, могли бы добавить еще два других страха, могущих возникнуть в случае, если лифт остановится из-за отключения электроэнергии, — это боязнь темноты и пожара. Кто знает, какой из этих страхов больше способствует появлению общего страха перед лифтами? Что касается меня, то тут все ясно: меня мучил исключительно страх того, что трос, соединенный с противовесом, может внезапно оборваться, и я рухну вниз. А вот Джойс это никогда не волновало. В ее случае главной была боязнь попасть в ловушку и задохнуться.

Если у вас есть реальная причина полагать, что вы можете быть подвержены любому из вышеупомянутых страхов, когда входите в лифт, то ваш страх перед лифтами — это не отклонение от нормы и не фобия. Напротив, он не только естествен, но и рационален.

Я больше не боюсь лифтов, Я не говорю, что испытываю такие же чувства эмоционального возбуждения и радости, которые у меня возникают во время полета, но это только потому, что поездка в лифте — чисто житейское дело. Однако я действительно ценю то, что способен ездить в лифте скорее со скукой, чем со страхом. Фактически единственная вещь, которая мне не нравится сейчас при поездках в лифте, — это неловкая ситуация, когда все, кто в нем находятся, стоят, уставившись на дверь, в полной тишине, усиленно стараясь избежать встречи взглядом с остальными.

Почему я перестал бояться лифтов? Было ли это связано с тем, что я перестал быть размазней и научился позитивно мыслить? Нет, поскольку мой страх перед лифтами был связан только с убеждением, что, если трос оборвется, я рухну вниз. Если лифт был переполнен, я искал небольшую табличку с указанием максимально допустимого числа пассажиров. Я пересчитывал пассажиров, взвешивал каждого в уме. В Соединенных Штатах делать это было довольно страшно, так как половина населения, казалось, имела избыточный вес, а в моем лифте толстяков всегда набиралась добрая половина. Предусмотрели ли производители лифтов поправку на такой случай?

Я перестал бояться лифтов, поскольку теперь знаю, что даже если бы все его пассажиры имели избыточный вес и их можно было бы втиснуть в лифт втрое больше нормы, то он все равно бы не смог упасть вниз. Я обнаружил, что лифт соединен с противовесом не единственным стальным тросом, их там от шести до восьми, но при этом даже одного из них достаточно, чтобы удержать лифт, полный пассажиров. А на тот невероятный случай, если все тросы вдруг одновременно оборвутся, лифт снабжен системой автоматического торможения.

Так же как и в гражданской авиации, производители лифтов применяют принцип «ремня с подтяжками» (подстраховки). Теперь я знаю, что лифт не может упасть, и потому даже в 100-этажном небоскребе пропасть под лифтом не имеет для меня никакого значения, я больше не терзаю себя мыслями о ней. Я изолирован в кабине лифта, как в своем маленьком безопасном мирке.

Я также знаю, что если лифт действительно сломается, даже если он переполнен, как бы долго нам не пришлось ждать, все равно в кабине будет достаточный приток воздуха, и мы не задохнемся. В действительности все современные лифты снабжены кнопкой аварийной сигнализации, а в большинстве из них есть телефоны. В сравнительно редких случаях, когда лифт в самом деле ломается, освобождение пассажиров — это дело нескольких минут.

Скажите откровенно, вы сами когда-либо слышали о случае падения лифта в шахту? Расспросите людей, сможете ли вы найти кого-нибудь, знающего еще кого-то, кто бы падал в лифте? Такого не может быть. Так почему вас это волнует? Потому что все мы много раз видели, как это происходит в фильмах. Нам «промыли мозги». Нужно от этого впечатления избавиться.

Мне говорят, что знают, будто полет — это самый безопасный способ передвижения. На самом деле это не так. Да, это — невероятно безопасный способ передвижения, во много раз безопаснее, чем автомобили, автобусы, туристические автобусы и даже поезда. Однако самый безопасный вид транспорта — это лифты. Изучая свою анкету, я удивился, что только 22% опрошенных страдали клаустрофобией. Я думал, что их будет значительно больше. Однако 33% боялись лифтов, и вновь я подумал, что их должно было быть больше.

Но для меня самым большим открытием в ответах на анкету явилось то, что ни один из участников опроса не боялся ехать на поезде. У меня нет никакого страха перед полетами, входящими в «ПЕРЕЧЕНЬ», но признаюсь, что я опасаюсь поездов. Полет на самолете, входящем в «ПЕРЕЧЕНЬ», безопаснее поездки на поезде. Только 11% опрошенных заявили о своем страхе перед эскалаторами. Но ведь лифты надежнее эскалаторов. Вы можете возразить, что во время бедствия на «Кингз Кросс»* пострадали многие люди, ехавшие на эскалаторе. Я же утверждаю, что не эскалатор стал причиной их гибели, а тот факт, что он загорелся, людей погубили огонь и сильное задымление. Однако это спорный вопрос, и, если вы настаиваете, я уступаю.

Люди не умирают в лифтах, они не задыхаются и не падают в шахту. На эскалаторах происходит гораздо больше инцидентов, чем в лифтах. Если вы действительно боитесь лифтов, я хочу, чтобы вы избавились от этого страха, в первую очередь потому, что вы, похоже, не перестанете бояться полетов, если боитесь лифтов. Не начинайте с прозрачных лифтов, которые располагаются на внешней стороне высотных зданий. Вы спросите: разве они не столь же надежны, как и внутренние лифты? Я уверен, что они надежны, но помните, что страх высоты — нормальное явление. Это естественный инстинкт, который мы пытаемся преодолеть. Это все равно что выйти на балкон высотного здания.

Относитесь к лифту так же. Представьте, что вы едете в обычном лифте, а один из пассажиров, стоящих в нем, говорит:

«Привет! Мы уже на тридцатом этаже! На высоте почти 1000 м! Представляете, что случится с нами, если эта штука рухнет вниз?»

Своими словами он усиливает эффект «промывания мозгов», которому мы уже подверглись со стороны Голливуда. Наша главная задача — избавиться от навязанных образов. Лифт не может упасть, но некто пытается убедить вас в обратном. Суть в том, что он напоминает вам о высоте. Именно это же происходит и в прозрачных внешних лифтах. Теперь я уже могу ездить и на них, но там я чувствую себя неуютно. Люди, сконструировавшие их, — глупцы. Я поднимаюсь в лифте не ради удовольствия. Если бы мне

---

* «Кингз Кросс» — крупная пересадочная станция лондонского метро, где в 1987 году возник пожар на эскалаторе. Погибло около 40 человек, было много пострадавших.

понадобился адреналин, я бы пошел покататься на аттракционе. Но я ненавижу аттракционы. Когда я пользуюсь лифтом, то хочу чувствовать себя в безопасности, хочу, чтобы мне было удобно, но кретины, сконструировавшие лифт таким образом, что я постоянно ощущаю высоту, добиваются эффекта, совершенно противоположного тому, которого добивались:

ОНИ ПОДТАЛКИВАЮТ МЕНЯ К КРАЮ БАЛКОНА!

Если у вас страх перед лифтами, или вы хоть немного их опасаетесь, я хочу, чтобы вы проехали именно на таком лифте, но не с чувством обреченности и уныния, а с ощущением радостного возбуждения. Я, помнится, говорил, что в поездке на лифте нет ничего особенно хорошего. Но не для вас. Тот факт, что вы без боязни сможете пользоваться удобным лифтом всю свою жизнь, будет сам по себе достаточным вознаграждением. Но вы получите еще большую награду: избавившись от страха перед лифтами, вы узнаете, что сумеете также освободиться от страха перед полетами.

   Не ждите следующего раза, когда вам нужно будет воспользоваться лифтом. Пойдите в какой-нибудь отель или крупный торговый центр, просто чтобы с радостью убедиться, что вы можете проехать на лифте. Съездите на нем не один раз. Поднимитесь вверх на какую хотите высоту и спуститесь вниз. Сделайте это столько раз, сколько вам захочется:

НУ ЖЕ, ЗА ДЕЛО!

Давайте теперь рассмотрим

МОЙ ПЕРВЫЙ ПОЛЕТ.

20

Мой первый полет

Почему мой первый полет был таким ужасным? Абсолютно по той же причине, по которой в молодости опыт моей езды с Юджином стал кошмаром: в обоих случаях я был убежден, что моя жизнь в опасности. Что касается Юджина, тот тут

Я ОКАЗАЛСЯ АБСОЛЮТНО ПРАВ!

И я сожалею лишь о том, что у меня не хватило ни ума, ни смелости признаться в своем страхе и поехать на поезде; возможно, я был слишком стеснительным, чтобы сказать об этом, мне не хватало уверенности в себе. Вероятно, мой страх показаться трусом в глазах моей жены и коллег превысил мой ужас перед стилем вождения Юджина. А может быть, я так же, как и те 56% участников опроса, кто согласно анкете считал свой страх перед полетами иррациональным, думал, что этот мой страх тоже иррационален. Кто может ответить на этот вопрос?

В то время я, конечно, не мог осознать истинных причин, но, вспоминая данную ситуацию 40 лет спустя, понимаю, что не стал намного умнее. Как я уже говорил, именно путаница вызывает проблему, и я не сомневаюсь, что все факторы, о которых я упоминал, хорошо ложатся в описанную мной схему. Я могу сказать вам, что когда аналогичный эпизод с водителем произошел через несколько лет, то у меня в голове уже не было никакой путаницы, и если подобное произойдет в будущем, я тоже не буду испытывать смущения. Я правильно выбираю приоритеты и ставлю свою жизнь и безопасность на первое место, даже если это может обидеть водителя.

Мой первый полет был во много раз страшнее, чем поездка с Юджином, но в этом случае

Я БЫЛ АБСОЛЮТНО НЕПРАВ!

Путаница была еще большей, потому что я знал, что Юджин водит машину очень опасно, а полет на самолете безопасен. Поэтому чувствовать себя трусом казалось еще более неразумным. Меня сбило с толку непонимание того, что представляет собой полет на самом деле,

Я ДЕЙСТВИТЕЛЬНО НЕ ВЕРИЛ,
ЧТО ОН БЕЗОПАСЕН.

Поэтому я не считал себя ни трусом, ни неразумным человеком; если вы верите, что полет опасен, то вполне естественно его бояться.

Примечательно, что в моей анкете только 22% участников ответили, что им страшно, когда их везут другие водители, 11% боятся водить машину самостоятельно и 89% боятся, когда машину ведет какой-нибудь определенный водитель.

Разве не в этом ключ к проблемам! Когда меня вез Юджин, вся поездка была кошмаром. А вас беспокоит не только то, что машину ведет такой же Юджин, вы боитесь, что любой другой водитель на дороге подобен ему. Я не сомневаюсь, что самый большой и тем не менее самый распространенный недостаток манеры вождения, которым обладают все Юджины в этом мире, — это то, что американцы называют «ездой впритык», т. е. движение со скоростью 110 км/ч по левой полосе впритирку к другой машине, отказывающейся уступить дорогу. При этом не имеет значения, что правая или средняя полоса совершенно свободны. Водитель, точная копия Юджина едет на максимально допустимой скорости и знает, что право на его стороне, и сколько бы один не сигналил и не светил фарами, второй не уступит ему.

Истинная причина, по которой он не уступает дорогу, не в том, что он почтенный и сознательный гражданин, и не в том, что он не только сам не хочет нарушать закон, но и чувствует своей обязанностью убедиться, что никто тоже не нарушит его. Дело в том, что у него уже есть два предупреждения полиции о нарушении скорости и он потеряет свои права, если получит еще одно.

Помимо этого он едет в спортивном двухместном автомобиле с турбонаддувом, и если у него еще нет предупреждений, то он покажет всем, кто самый быстрый на дороге.

Однако первый водитель не так легко поддается давлению. Он решает доказать, что фактически еще более глуп, чем второй, и идет на обгон с правой стороны. При этом оба настолько поглощены тем, что мигают фарами, сигналят, бросают друг на друга злые взгляды, кричат и демонстрируют друг другу оскорбительные жесты, что ни один из них не замечает, как в тот момент, когда отстающий решается пойти на обгон справа, еще один, у которого автомобиль быстрее, чем у первых двух, быстро оценивает ситуацию и обгоняет их обоих.

Когда условия движения плохи: сырость, гололед или очень плохая видимость — всегда происходят столкновения и нагромождения множества автомобилей. В конце концов, большинство водителей знают правила и вовремя остановятся, если увидят столкнувшиеся машины. Вероятнее всего, водитель, едущий сзади притормозившего, тоже безопасно остановится. Беда в том, что если только в этой цепочке случайно окажется какой-нибудь Юджин, то он заставит впереди идущую машину врезаться в автомобиль, едущий первым.

Когда наблюдаешь за такими Юджинами, то удивляешься не тому, что так много столкновений на дорогах, а тому, что их так мало. Когда я вежливо спрашиваю, не считают ли они довольно опасным ездить со скоростью 130 км/ч на расстоянии менее двух метров от другой машины, они оправдываются тем, что у них невероятно быстрая реакция и их автомобили могут затормозить быстрее, чем идущие впереди. К сожалению, они часто говорят правду. Тогда попытайтесь объяснить им, что, какой бы быстрой ни была их реакция и насколько эффективной — тормозная система у их автомобиля, они врежутся в другую машину, прежде чем сообразят, что она тормозит.

Некоторые лихачи в этом мире действительно обладают необычайно быстрой реакцией. Однако все они крайне ограниченны, и, к сожалению, быстрая реакция не компенсирует их глупость.

Другая загадка, связанная с такими Юджинами, — почему все они так нетерпимы друг к другу. Вы сидите в машине, ощущая дрожь в коленках всякий раз, когда кто-то из них проскакивает светофор через пять секунд после того, как загорелся красный, или некий «победитель в гонках» стартует в ту долю секунды, когда свет меняется на желтый. В обоих случаях вы закрываете глаза и молите Бога, чтобы второй не начал свой заезд в тот момент, когда первый проезжает светофор, или наоборот. Едва избежав столкновения, они вряд ли остановятся и скажут: «Ты проскочил светофор, но не беспокойся, я всегда делаю так же и, возможно, отчасти виноват, так как поторопился». Вам когда-нибудь доводилось видеть и слышать подобное? Вряд ли. Они начинают кричать и размахивать кулаками.

Заметили ли вы, что, несмотря на то, что эти Юджины регулярно, умышленно и часто нарушают правила, рискуя своей жизнью и жизнями своих пассажиров, пешеходов и других пользователей дорог, они нетерпимы к любому другому участнику дорожного движения, который непреднамеренно совершает ошибку? Для них священно только их право проезда. В то же время они отказываются признавать, что другие участники дорожного движения тоже имеют право проезда или прохода. Вы часто видите, как они гонят на участке дороги с круговым движением, чтобы помешать другому водителю безопасно вписаться в круг. Я думаю, что у каждого Юджина на надгробии обязательно должно быть высечено: «Здесь покоится Юджин, человек принципиальный, который, умирая, сказал:

«Я ИМЕЛ ПРАВО ПРОЕЗДА!»

Может показаться, что я отклонился от темы. Уверяю вас, что это не так. Если вас везет хороший водитель, то бесчисленные Юджины на дороге не будут представлять для вас большой угрозы. Вы знаете, что ваш водитель распознает их, предугадает их маневр и не пойдет на такую глупость, чтобы связываться с ними. Иными словами, вы можете расслабиться и получить удовольствие от поездки.

Однако если вы едете с каким-нибудь Юджином, то видите, что он не только не будет избегать подобных себе, но, поскольку ненавидит их, не сможет правильно реагировать. Иногда целая колонна автомашин с такими водителями выстраивается в левой полосе друг за другом, и они начинают «выплясывать конгу»* только потому, что едущий впереди водитель, у которого уже есть предупреждение, не уступит дорогу и не позволит им обогнать себя.

Помимо такой манеры езды, я думаю, самая распространенная опасность на дорогах возникает, когда вы собираетесь обогнать автомобиль, который движется за грузовиком, едущим по той же полосе. Только вы набираете скорость, как он подает сигнал выезда вправо. Только очень осторожный водитель захочет предупредить вас, что тоже намерен обогнать грузовик, если вы уже проехали мимо.

Тем не менее изредка складываются обстоятельства, когда либо острожный водитель на время ослабляет внимание, либо Юджин собирается во что бы то ни было выехать за пределы своей полосы, потому что у него есть право проезда. Хороший водитель, прежде чем обгонять, убедится, что перед ним нет никаких препятствий, а Юджин обгонит, несмотря ни на что. В результате на дорогах станет на два Юджина меньше, но я на это не жалуюсь. К сожалению, слишком часто при этом погибают их пассажиры и осторожный водитель, который случайно допустил ошибку, когда Юджин его обгонял.

Когда вас везет Юджин, вы не можете расслабиться, даже если попытаетесь. Вы знаете, что на дорогах много других лихачей. Некоторые их приемы стали настолько типичными, что даже ваш Юджин не может не понять, что он превзойден. Однако некоторые великолепно маскируются. Вы ни на минуту не можете расслабиться, а тот факт, что вы не водите машину, все усугубляет. Ваша жизнь в руках этого сидящего рядом с вами тупицы.

---

* Конга — быстрый латиноамериканский танец.

Когда люки того самолета, на котором я летел впервые, закрылись, у меня было ощущение, что захлопнулись двери тюрьмы. Чувство ужаса или ощущение западни, которое охватило меня, на самом деле не имело ничего общего с клаустрофобией. Борцы за права животных совершенно правильно привлекли внимание к тем невыносимым условиям, в которых содержатся телята ради поддержания торговли свежим мясом. Любой, кто регулярно ездит в лондонском метро в часы пик в жару, не позавидует этим телятам. Многие годы я страдал от явного недостатка кислорода. Когда двери поезда метро закрывались, у меня не было возможности открыть их, но я не чувствовал себя в ловушке. Даже когда поезд на полчаса задерживался в туннеле, который казался немногим шире самого поезда, а жара и нехватка кислорода становились еще более явными, ощущения ловушки все равно не возникало.

Я не могу делать вид, что это было радостное и приятное событие. Оно, бесспорно, было неприятным. Но у меня не возникало ни малейшего страха, потому что не было чувства опасности. Однако если бы я оказался в подобной ситуации на следующий день после пожара на станции «Кингс Кросс», то, несомненно, не только испытал неудобство, но и очень испугался. Хотел бы я знать, сколько людей купили билеты на трансатлантический лайнер через день после того, как посмотрели «Титаник», или сколько отдыхающих отважилось плавать в океане после просмотра фильма «Челюсти». Мы этого никогда не узнаем, но я ручаюсь, что не входил бы в их число.

Какой бы неприятной ни была поездка в лондонском метро в часы пик в жару, я бы скорее согласился терпеть ее ежедневно, чем еще раз пережить ужас первого полета. Те, кто боится авиаперелетов, жалуются на клаустрофобию, на ощущение, будто они попали в ловушку, на то, что не владеют ситуацией и на многие другие вещи. И тем не менее 100% этих же людей не боятся ездить в поездах. Я говорю сейчас не о поездах лондонского метро, а о тех, что еще до недавнего времени входили в сеть «Бритиш Рейл»*. Простран-

---

* Бритиш Рейл — сеть национализированных железных дорог Великобритании.

ство внутри большого современного реактивного лайнера ограничено не более чем в вагоне поезда. В поезде вы находитесь в такой же ловушке. Конечно, вы можете открыть дверь, но как только поезд тронулся с места, вы не сможете сойти с него, пока он не остановится.

Правда, вы можете дернуть рукоятку аварийной остановки, но разве вы делали это когда-нибудь? Конечно, нет. Если нет аварийной ситуации, зачем вам понадобилось бы дергать за стоп-кран? Почему вам вдруг захотелось бы сойти с поезда? Ведь вы сели на поезд с конкретной целью — проехать из пункта А в пункт Б — и заплатили значительную сумму за эту привилегию. Почему, скажите на милость, вам захотелось бы сойти, прежде чем вы прибудете в пункт Б?

Я могу назвать только одну стоящую причину — вы испугались того, что поездка опасна, или у вас вообще не было желания ехать.

Когда вы осознаете, что полет абсолютно безопасен, то вторичные, преувеличенные симптомы СПП, такие, как клаустрофобия, приступы паники, ощущение ловушки, невозможность управлять ситуацией, удивительным образом исчезают вместе со страхом, и вы начинаете видеть полет таким, какой он есть, —

РАДОСТНЫМ И ВОЛНУЮЩИМ СОБЫТИЕМ. НО НЕ ПЫТАЙТЕСЬ УПРАВЛЯТЬ САМОЛЕТОМ.

21

Не пытайтесь управлять самолетом

Когда за рулем автомобиля хороший водитель, пассажиры могут расслабиться, насладиться открывающимся пейзажем и самим путешествием. Если машину ведет Юджин, вы вряд ли сможете расслабиться и едва ли заметите пейзаж. Фактически вы не осмелитесь оторвать свой взгляд от дороги. По существу, вы ведете машину.

Реальные амбиции любого Юджина сводятся к тому, чтобы прослыть водителем, участвовавшим в международных гонках. Но он также тайно желает быть экскурсоводом, и для него не составит никакого труда совместить эти два своих устремления. Он такой опытный водитель, и его реакции настолько быстры, что для него не проблема оторвать глаза от дороги. Он создает впечатление, что его автомобиль оборудован автопилотом, так как непрерывно комментирует каждую навевающую скуку деталь пейзажа. Он такой хороший водитель, что может с точностью до сантиметра оценить обстановку, когда его заносит на обочину, и совершенно не реагирует на сигналы встречного транспорта, когда заезжает на центральную разделительную полосу.

То же самое происходит, когда вы боитесь полетов. Вы обнаруживаете, что не только пытаетесь управлять самолетом, но и берете на себя обязанности штурмана и особенно бортового инженера. Я называю эту ситуацию «попыткой управлять самолетом».

Я уже говорил, что в других книгах, как правило, делается акцент на детальном описании приемов, позволяющих справляться с приступами паники и другими симптомами, вызванными страхом перед полетами. Ключ к пониманию моей методики состоит в том, что вы, избавившись от страха, также освободитесь от неприятных физических состояний, и вам не нужно будет тратить время на то, чтобы научиться справляться с ними.

Аналогичным образом в других книгах подробно описывается все, что связано с полетом — от приезда в аэропорт отправления до отъезда из аэропорта назначения.

Так вот, я согласен с тем, что краткое объяснение некоторых аспектов полета не только полезно, но и крайне необходимо; однако я также полагаю, что чрезмерно детальное объяснение определенных моментов может привести к обратным результатам и способствовать стремлению «пытаться управлять самолетом».

Вероятно, лучший способ прояснить это положение — сравнить тот первый ужасный полет с

МОИМ ПОСЛЕДНИМ ПОЛЕТОМ.

22

Мой последний полет

Если вы находите название этой главы несколько двусмысленным и думаете, будто оно означает, что я никогда больше не буду летать, то должен объяснить: я сейчас сравниваю свои первый и последний полеты или, коли на то пошло, любой из многих полетов, которые я совершил с тех пор, как моя фобия превратилась в радость полета.

Отмечу, что для сравнения я использовал некоторую поэтическую вольность. Я не подразумеваю под этим, что умышленно преувеличивал ужас первого полета или радость последнего. Я не только попытаюсь показать различие между первым и последним по времени полетами, но и различие между ситуацией, когда вы страдаете от страха и «пытаетесь управлять самолетом», и полетом, во время которого можно просто откинуться в кресле и с наслаждением расслабиться, доверив экипажу управление.

Например, когда я летел впервые, ни у кого еще не было оснований опасаться, что самолет угонят или заложат в него бомбу. Поэтому, чтобы описать эти состояния, я включил свое воображение и представил, какое бы воздействие они оказали на меня в то время. Я также приобщил сюда как свои собственные те переживания, о которых рассказали мне другие, тоже страдавшие от страха перед полетами. В мои намерения не входит искажать что-либо или обманывать вас, если бы я хотел это сделать, то даже не заикнулся бы о поэтической вольности. Я хочу просто показать, каким образом, как только вы избавитесь от страха, все ваши переживания смогут превратиться из кошмара в удовольствие.

Прежде всего вы должны запомнить, что самая важная вещь — это не сам полет, а достижение цели. Попытайтесь представить, какое волнение испытывают олимпийские чемпионы, завоевавшие золотые медали, когда они стоят на пьедестале с высоко поднятыми головами и глазами, полными слез, с гордостью следя за тем, как под звуки национального гимна поднимается флаг их страны. Это, наверное, самый волнующий момент в их жизни, потому что он явился кульминацией многих лет упорного труда и напряженных тренировок.

Но самый важный момент в их жизни был тогда, когда они решили добиться своей мечты, ведь если бы не было этого, они никогда не достигли бы своей цели. Для вас самый важный момент наступил, когда вы решили что-то предпринять, чтобы избавиться от своего страха перед полетами. Так вот, олимпийский чемпион или чемпионка не может достичь своей цели без многих лет напряженной подготовки, тренировки и дисциплины. Возможно, это и трудно, но разве вы не понимаете, что им нравится принимать этот вызов?

К счастью, вам не нужно проводить годы в напряженных тренировках, нужно лишь следовать рекомендациям, и вы испытаете не только радость победы как таковой, но и радость подготовки к ней. У вас есть еще одно преимущество перед потенциальными олимпийскими чемпионами: тысячи спортсменов стремятся к тому, чтобы победить в соревновании, но только один из них может выиграть золотую медаль. В то же время не ограничено число людей, которые могут получать удовольствие от полета на самолетах компаний, входящих в «ПЕРЕЧЕНЬ», и все люди, страдающие от страха перед полетами, могут достичь этой цели при условии,

ЧТО ОНИ БУДУТ ВЫПОЛНЯТЬ РЕКОМЕНДАЦИИ.

Это была первая рекомендация. Третья рекомендация гласила:

НАЧИНАЙТЕ В ДОБРОМ РАСПОЛОЖЕНИИ ДУХА.

Четвертая рекомендация:

МЫСЛИТЕ ПОЗИТИВНО.

Пятая рекомендация:

БЕРИТЕСЬ ЗА ДЕЛО!

И шестая:

ПОЛУЧАЙТЕ УДОВОЛЬСТВИЕ!

Теперь, вас, вероятно, интересуют два вопроса:

1) почему я считаю вас такими бестолковыми, что повторяю рекомендации, совершенно очевидные с самого начала;

2) почему я не повторил вторую рекомендацию.

А вы помните, какой была вторая рекомендация? Если вы ее забыли, то теперь понимаете, почему мне понадобилось напомнить вам об остальных четырех. Но если я клевещу, и вы помните или записали их, то я приношу свои извинения. Я напомнил их по той причине, что вы должны постоянно осознавать их, и если вам сейчас любопытно, какой же была вторая рекомендация, то нет необходимости возвращаться к началу. Все рекомендации перечислены в Приложении Б с указанием соответствующих страниц книги.

Подготовка к вашему следующему полету начинается не тогда, когда вы прибываете в аэропорт отправления. Она уже началась, и важное время

НАСТАЛО!

Перед первым полетом меня одолевали негативные мысли. Я использовал свое воображение, чтобы терзать себя, беспокоясь о неполадках, которые могут возникнуть в полете, и, что самое худшее, меня мучило сомнение, хватит ли мне смелости сесть в самолет.

Я гнал прочь эти мысли, и это было моей самой большой ошибкой. Так бывает, например, когда длинный и трудный день подходит к концу, и вы ложитесь спать пораньше, потому что вам важно хорошо выспаться ночью. Однако опять действует закон подлости: вы лежите всю ночь без сна, беспокойно ворочаясь в кровати, и чем больше вы нервничаете от того, что не можете заснуть, тем с большей уверенностью можно гарантировать — вы так и проведете ночь без сна. Вот седьмая рекомендация:

НЕ ИЗБЕГАЙТЕ МЫСЛЕЙ О ПОЛЕТЕ.

Все равно это невозможно, и если вы это делаете, то просто порождаете фобию. Вам не нужно гнать мысли о полете. Ничего плохого не случится, напротив,

ПРОИЗОЙДЕТ НЕЧТО УДИВИТЕЛЬНОЕ!!!

Вероятно, невозможно не думать о каком-либо конкретном предмете, но в ваших силах обдумывать мысли приятные и позитивные, а не пугающие и негативные. Поверьте мне: у вас нет иного выбора. Вы собираетесь «взяться за дело». Нравится вам это или нет, но этот полет нужно совершить. Перед вами простой выбор: превратить время перед полетом в страдание, тогда и сам полет станет сплошным мучением, или превратить подготовку в приятное предвкушение достижения цели, и в таком случае я гарантирую вам, что и полет покажется вам легким делом и доставит удовольствие.

А какие же мысли мелькали у меня в голове перед последним полетом? Я уже не думал о самом полете. Представьте только: люди платят тысячи фунтов стерлингов, чтобы провести отпуск на океанском лайнере. Путешествие в любой форме может быть волнующим и увлекательным при условии, что вы не опасаетесь за свою жизнь. Согласно анкете только 44% участников опроса боялись путешествовать на кораблях. Но даже самые большие, надежные и комфортабельные морские лайнеры менее безопасны, чем самолеты, входящие в «ПЕРЕЧЕНЬ». Волнение на море значительно сильнее, чем турбулентность в воздухе. Я побывал только в двух круизах. Во время одного из них половина пассажиров три дня страдала от морской болезни. У меня очень слабый желудок, но во время сотни перелетов, которые я уже совершил, у меня не было ни малейших признаков тошноты, и я не замечал, чтобы они были у других пассажиров.

Поэтому, хотя круиз сам по себе считается отдыхом, я предпочитаю полет как самый дешевый, быстрый и безопасный способ передвижения на довольно значительные расстояния, будь то деловая или увеселительная поездка. Было бы неправдой сказать, что я считаю каждый авиаперелет волнующим событием. Я могу сравнить его только с поездкой к месту отдыха на автомобиле или на поезде.

Во время моего первого полета и его ожидание, и сам полет были ужасными, а отдых был испорчен из-за того, что я боялся обратного пути. В период, когда мой страх переродился в опасение, я не чувствовал себя счастливым до тех пор, пока самолет благополучно не приземлялся, и до того момента мой отдых не начинался. Во время отдыха бывали моменты, когда я с опаской вспоминал об обратном рейсе, но эти мысли не нарушали мой отдых.

Сейчас, когда я лечу на отдых самолетом, мне доставляет удовольствие думать и мечтать о том, как я буду отдыхать; тот факт, что я лечу, уже не беспокоит меня. В день, когда начинается отпуск, даже если мне приходится вставать среди ночи, чтобы успеть на самолет, я чувствую радостное возбуждение. Я уже в отпуске. Поездка в аэропорт, сам полет — все доставляет мне радость, потому что у меня нет страха. Если во время отдыха и возникают печальные мысли, то они связаны не с обратным полетом, а с тем, что отдых подходит к концу.

Более уместным было бы описать не мой последний полет, а тот первый полет, который я совершил после того, как избавился от СПП. Подчеркиваю, я уже избавился от страха до того, как совершил этот полет. Вы можете снова подумать, что здесь типичная ситуация «курицы и яйца»: как я мог знать, что уже избавился от своего страха или опасений на том этапе, если я еще не летал и не мог убедиться в этом?

В ответ я мог бы спросить: а откуда мне было знать, что я буду бояться летать, пока я действительно не совершил свой первый полет? Ответ на оба этих силлогизма один: мне не было необходимости совершать свой первый полет для того, чтобы у меня возник страх перед полетами; общество уже «промыло мне мозги» ложными представлениями, которые заставили меня поверить в то, что полеты опасны. Мой страх перед полетами был естествен. Когда я избавился от навязанных образов, исчез и мой страх, и вот почему: Адель пишет в предисловии, что она не могла дождаться возможности подтвердить это. То же происходило и со мной.

Следующий полет, который я совершил, был вторым по значимости событием в моей жизни (первое — это когда до меня дошло, что я практически избавился от никотиновой зависимости). Это событие взволновало меня не как часть моего приятного отдыха, а как неоспоримое доказательство того, что я уже знал:

МОЙ СТРАХ ПЕРЕД ПОЛЕТАМИ ИСЧЕЗ НАВСЕГДА!

Теперь я хочу, чтобы вы впредь не думали:

«Как было бы замечательно, если бы я мог найти в себе смелость летать на самолете, чтобы наслаждаться отдыхом со своей семьей и друзьями или сопровождать своего партнера в деловой поездке», но сказали себе:

«Отпуск или деловая поездка не столь важны. Важно то, что я собираюсь сбросить оковы страха перед полетами. Я собираюсь выбраться из этой тюрьмы!»

Точно так же как олимпийский чемпион, завоевавший золотую медаль, испытывает радостное возбуждение, потому что достиг своей цели, ваше радостное возбуждение будет связано с достижением вашей цели:

УМЕТЬ ЛЕТАТЬ БЕЗ СТРАХА!

С этого времени и впредь до реального полета сохраняйте радостный и позитивный настрой. Не беспокойтесь о том, что все ваши мысли обращены к полету. Важно, о чем конкретно вы думаете. Помните, что у вас есть выбор, и вот восьмая рекомендация: теперь

ВАМ ПРЕДСТОИТ ОВЛАДЕТЬ СИТУАЦИЕЙ.

Перелеты совершенно безопасны — это факт. Поэтому, если вы обнаружите, что с этого момента до реального полета все время думаете о нем, то

ДУМАЙТЕ ПОЗИТИВНО!

Не терзайте себя мыслями о том, что может произойти. Вместо этого напоминайте себе, что полеты абсолютно безопасны. Особенно предвкушайте, какое удовольствие вы получите, достигнув цели. Представьте, что вы спокойно сидите в самолете, расслабившись, и адекватно реагируете на все происходящее. Представьте, что разглядываете других пассажиров, узнавая тех, кто испытывает те же мучения, что терзали вас, и посочувствуйте им.

Однажды мне в качестве водителя выпала честь везти моего друга и его молоденькую застенчивую дочь на ее свадьбу. Она была на грани паники, беспокоилась о своем платье, о прическе и обо всех тех вещах, о которых обычно беспокоятся невесты. Я съехал на обочину и остановился. Поначалу это только ухудшило ситуацию, потому что мы уже опаздывали, и она начала отчитывать меня.

Я велел ей замолчать. Для этого мне потребовалась некоторая смелость, потому что в тот момент я выступал скорее в роли шофера, чем друга. Я объяснил ей, что опоздание для невесты не только простительно, но является важной частью церемонии бракосочетания. Любой стоящий шеф-повар знает, что чем дольше он заставляет вас ждать свое коронное блюдо, чем больший голод вы испытываете, тем более вкусным и удивительным оно вам покажется.

Я описал ей свою собственную свадьбу и рассказал, что из-за тогдашнего взвинченного состояния едва могу припомнить день, который должен был бы стать самым запоминающимся днем моей жизни. Ее тревожило, что все будут смотреть на нее. Я объяснил ей, что на любой свадьбе невесте отводится исключительное место. Она, безусловно, самая важная персона, а жених — это просто трогательный, прыщеватый субъект, который, если ему повезет, стоит на жалком четвертом месте после невесты, двух подружек невесты и торта.

Я также отметил, что это ни в малейшей мере не волнует жениха. Он тоже очень нервничает и счастлив, что его невеста в центре внимания. Для него важнее всего доказать своим приятелям, что он полонил сердце самой красивой девушки в мире.

В данном случае все так и оказалось. Со мной тогда были две будущие невесты — мои дочери, и мне бы очень не понравилось, если бы кто-нибудь из них подумал, что я их предал. Но разве не удивительным образом проявляет себя жизнь, когда оказывается, что, например, любая беременная женщина выглядит привлекательной и цветущей, а невеста далеко не всегда самая красивая девушка на свадьбе.

По всем стандартам Шерл Стокс была и остается чрезвычайно красивой девушкой. Для тех, кто знает семью Стоксов, в этом есть что-то загадочное. Если бы ее отец Ронни Стокс участвовал в кастинге на роль Квазимодо для фильма «Собор Парижской Богоматери», то у Чарльза Лэйтона* не было бы никаких шансов.

К счастью, Шерл похожа на свою мать Джин, и в день своей свадьбы она выглядела, как настоящая принцесса. Я сказал Шерл, что она выглядит, как Элизабет Тейлор в зените своей славы. Но добавил, что она может выбирать: или ставить в неловкое положения себя и всех присутствующих на свадьбе людей, продолжая стесняться и смущаться, и превращать день, который должен стать самым счастливым днем ее жизни, в кошмар, или пройти по проходу церкви, как королева, какой она и является на

---

* Чарльз Лэйтон (1899–1962) — известный английский актер театра и кино, исполнитель роли Квазимодо в фильме «Собор Парижской Богоматери» (1939).

самом деле, и сделать этот день таким, чтобы у всех, и в первую очередь у нее самой, остались лишь приятные воспоминания.

Я гордился тем, что Шерл в тот день из ребенка превратилась во взрослую цветущую женщину и вела себя соответствующим образом не только на церемонии бракосочетания, но и во время приема гостей. Мне хотелось бы приписать себе эту заслугу. Но если быть честным, то скажу, что я присутствовал на нескольких других свадьбах, во время которых смущенный и закрытый бутон юной «английской розы» расцветал в своей полной красе без всяких нравоучений с моей стороны.

Тысячи, подобно Шерл, веками принимали этот вызов, так же и вы будете принимать вызов ради достижения свой цели. Возможно, в следующем полете вы будете сидеть в самолете как королева или король, с вашим партнером, родственником или другом, который знает, чего вы достигли, и будет рядом, чтобы разделить с вами ваш триумф. Если это так, тем лучше. Но даже если вы стоите на пьедестале один, вы ощутите радостное волнение, потому что достигли своей цели без посторонней помощи, а ваша победа доставит вам такую же радость.

Не беспокойтесь, если с настоящего момента до вашего полета вы будете ощущать некоторое беспокойство и даже нервную дрожь. Все это связано с вашим радостным возбуждением. Просто вспомните о футболистах, когда они выходят на поле, чтобы сыграть в финале розыгрыша Кубка*. Они нервничают, но в тоже время они воодушевлены. У них дрожь по той же самой причине, что и у вас: это большое событие в их жизни, и они хотят сыграть хорошо. У вас, однако, есть большое преимущество перед ними: победить может только вся команда, но если вы выполните все рекомендации,

НИКАКАЯ СИЛА НА ЗЕМЛЕ НЕ ВОСПРЕПЯТСТВУЕТ ВАШЕЙ ПОБЕДЕ!

---

* Розыгрыш Кубка — чемпионат по розыгрышу Кубка Ассоциации футбола.

Поэтому очень важно думать позитивно и сохранять доброе расположение духа до следующего полета. А теперь давайте закончим сравнение описанием

ДНЯ ПОЛЕТА.

23

День полета

Обычно дню полета предшествует атмосфера возбуждения, идет ли речь о поездке на отдых или деловом вояже.
Даже если у вас нет страха перед полетами, плохая подготовка может очень легко превратить приятное чувство
возбуждения в раздражение и панику. Поэтому в дни,
предшествующие дню вашей победы, подготовьте список
всех вещей, которые вы намерены взять с собой, и особый
список крайне необходимых вещей:

* билеты на самолет и план поездки, предоставленный
  туристической компанией;

* паспорт;

* валюту, дорожные чеки и кредитную карту.

Если вы прежде летали, то уже знакомы со всеми теми
процедурами, о которых я рассказываю. Я вовсе не пытаюсь учить ученых, но просто прошу вас отнестись терпе-
ливо к тем, кто собирается в свой первый полет на самолете и кого незнание всех процедур может сбить с толку.
Особенно я подчеркиваю, что, независимо от того, будет ли этот ваш полет первым или тринадцатым, важно
сохранять спокойствие и невозмутимость и избегать всего,
что может нарушить ваше самообладание.

   Туристические агенты обычно присылают вместе
с билетами план поездки, отмечая все детали полета туда
и обратно, включая аэропорт, название авиакомпании, номер рейса, время вылета и начало регистрации. Последнее
колеблется в пределах от одного до двух часов до времени
отлета. Если в аэропорту имеется несколько терминалов,
то в плане поездки будет указан номер терминала.

Желательно держать билеты, план поездки и паспорта в отдельном бумажнике, чтобы иметь быстрый доступ ко всем документам в любое время. Довольно неудобно открывать чемодан после того, как вы уже закрыли его, а если вы прошли регистрацию, то доступа к нему уже не будет. Поэтому упакуйте в отдельную сумку все, что вам может понадобиться до приезда в отель. Ручной багаж будет с вами на протяжении всего путешествия.

Я не пытаюсь советовать вам, что класть в ваш ручной багаж, потому что в прошлом это всегда служило поводом для спора между Джойс и мной, а главная ваша задача сейчас — избегать любых разногласий или обострений отношений в любой форме. Я как практичный и здравомыслящий мужчина стремился не забыть о необходимых вещах, например о колоде карт, а Джойс хотелось включить в список такую ерунду, как пара носков, зубная щетка и салфетка для лица. Однако ввиду того, что мы являемся демократически мыслящей парой, научившейся идти на компромиссы, мы все это вежливо обсуждали и затем включали в список именно то, что с самого начала советовала Джойс. Но вы должны помнить еще и о том, что можете попасть из зимы в лето, или наоборот.

Я очень рекомендую запланировать приезд в аэропорт, по крайней мере, за час до начала регистрации. Если вы думаете: «Самое последнее, чего мне хочется, так это провести один лишний час в этой чертовой дыре», то вы не ухватили сути. К тому времени, когда вы окончите читать эту книгу и завершите свою подготовку, аэропорт вам уже не будет казаться «чертовой дырой». Помните, что это ваш великий день; к его концу вы почувствуете себя на пьедестале. Возможно, вас сейчас бьет нервная дрожь, но вы скоро насладитесь своей победой. Начинайте наслаждаться ею сейчас!

Если у вас есть в запасе час, то вы избежите паники, которая может быть вызвана пробками на дорогах или другими непредвиденными обстоятельствами. В любом случае есть явное преимущество в том, чтобы приезжать в аэропорт заблаговременно. У вас будет много времени, чтобы припарковать ваш автомобиль, раздобыть тележку для вашего багажа и проверить дисплей, который сообщит вам номер стола регистрации. Более того, вам не придется выстаивать длинную очередь к столу регистрации, и у вас будет преимущественный выбор места.

Какие места самые безопасные? Прошу прощения, я просто проверяю вас. Вам нужно беспокоиться о том, какие места безопаснее, не больше, чем о том, в каком месте сада лучше сидеть на тот случай, если с неба свалится самолет. Четко помните об этом. Все места безопасны, и вы долетите благополучно. Не терзайте себя негативными и дурацкими мыслями.

Я предполагаю, что есть только одно важное соображение относительно вашего предстоящего полета, которое следует принять во внимание: если вас беспокоит страх высоты или чувство замкнутости, попросите место в проходе, предпочтительно, чтобы оно было расположено на уровне крыла. Тогда вы сможете увидеть землю только в том случае, если приложите к этому очень большие усилия. Недостаток места в проходе заключается в том, что вы можете пропустить захватывающий вид, который можно наблюдать, сидя рядом с иллюминатором.

У стола регистрации вас попросят предъявить ваши билет и паспорт, дадут посадочный талон, на котором будет указан номер вашего места. Храните посадочный талон в том же бумажнике, где у вас лежат паспорт и билет. Ваши чемоданы останутся у стола регистрации. Служащий сообщит вам номер ворот, от которых отправится ваш самолет и ожидаемое время посадки, которая начинается приблизительно за 30 или 45 минут до времени отлета.

Зона регистрации окружена ресторанами, барами, магазинами, туалетами и т. д. Однако сколько бы времени вы ни имели в запасе, я бы порекомендовал пройти прямо в зал отправления. Прежде чем вам позволят туда войти, вас и ваш ручной багаж будут просвечивать. Просвечивание вполне безболезненный процесс, если вы случайно не проносите с собой оружие или бомбу, что я не рекомендую делать. Вас также попросят предъявить паспорт и посадочный талон.

В зале отправления имеется зона с удобными креслами, барами, ресторанами, туалетами и магазинами, включая магазин беспошлинной торговли, в котором вы можете купить парфюмерию, сигареты, спиртные напитки и т.д. по беспошлинным ценам. Зал также снабжен дисплеями, которые выдадут вам самую последнюю информацию о вашем полете, включая задержки рейса.

Во время моего первого полета меня не столько беспокоили неудобства, причиняемые задержкой, сколько причина этой задержки. Любой часто летающий пассажир скажет вам, что гражданские авиалинии печально известны своим халатным отношением к вопросу информирования своих клиентов о продолжительности и причинах задержек. Та скудная информация, которую они выдают, не только не успокаивает вас, но обычно производит абсолютно противоположный эффект:

«Задержка вызвана механическими неисправностями».

О Боже! Я попаду, как в ловушку, в этот реликт Второй мировой войны, который следовало бы отправить на металлолом еще 40 лет назад. Или:

«Задержка вызвана метеоусловиями в аэропорту назначения».

О, нет! Должно быть, это означает, что аэропорт окутан туманом или покрыт льдом.

Паника блокирует наш ум, мешая понять, что аэропорт назначения — Малага, что летим мы туда в июле и там никак не может быть тумана или гололеда.

Помните, что если происходит задержка, то какие бы ни были причины, у вас нет оснований для беспокойства. По всей вероятности, реальная причина задержки гарантирует вашу безопасность в полете. Обычно неподходящие условия в аэропорту назначения возникают в связи со скоплением самолетов, которые должны совершить посадку в одно и то же время. Когда-то существовала практика накопления самолетов, ожидающих посадки. Каждый самолет занимал очередь, кружа над аэропортом, в ожидании разрешения на посадку. Но задержка вылета как раз и есть пример тех мер обеспечения безопасности, которые предпринимаются в настоящее время. Ситуация предсказуема, и, чем задерживаться на высоте 10 тыс. м, кружа над аэропортом назначения, лучше переждать некоторое время в зале отправления в аэропорту. А что бы предпочли вы?

Порой возникают обстоятельства, когда самолет до того, как взлететь, вынужден находиться на взлетной полосе около часа. Это может вывести из себя и причинить неудобства, но прежде, чем впадать в панику, спросите себя, что для вас важнее: прибыть вовремя или прибыть благополучно?

В тот период, когда я до ужаса боялся перелетов, неудобства, вызываемые задержкой, меня не тревожили, а просто убеждали в том, что полет опасен. Предполагаю, что я некоторым образом даже радовался задержке. Она откладывала ужас полета и дарила мне ничтожную надежду на то, что полет задержится на неопределенное время.

Однако когда у меня осталась лишь тревога в отношении авиаперелетов, задержка производила совершенно противоположный эффект: она подтверждала, что полет безопасен, но раздражала тем, что продлевала мое тревожное состояние. А как я отношусь ко всему этому в настоящее время? Философски. Я мирюсь с тем, что если вы летите куда-нибудь на отдых, то первый день уходит на дорогу. Даже если мне приходится вставать среди ночи, чтобы успеть на рейс, и очень утомиться, меня это не беспокоит. Напротив, я в приподнятом настроении! Я в отпуске! В аэропорту и во время полета можно подремать, а на следующее утро я могу проваляться в постели, сколько захочу.

Имеет ли значение то, что вы прибудете в аэропорт на час раньше, даже если полет задерживается на два часа? Вы отдыхаете, а это все-таки лучше, чем работать. Чем дольше задержка, тем легче Джойс может доставить себе удовольствие, занимаясь своим любимым делом: тратя мои тяжелым трудом заработанные деньги или, как ей нравится это называть, делая покупки! Я притворяюсь, что это огорчает меня. Но она, наверное, и не догадывается о том, что в действительности она тем самым

позволяет мне наслаждаться моим любимым заняти-
ем — чтением!

И в зале отлетов, и во время полета я могу наконец-то
перечитать все те книги, которые я обещал себе прочесть,
когда найду свободное время. Аэропорт — притягательное
и удивительное место при условии, что ваши представления о нем не искажены нелогичным страхом перед авиаперелетами!

Несколько участников опроса в анкете признались,
что пытались избавиться от своего страха перед полетами с помощью алкоголя. Признаюсь, что я тоже прибе-
гал к подобной тактике. Конечно, если бы она помогала,
то тогда бы вообще не было такой вещи, как страх перед
полетами, как и всех прочих страхов, коли на то пошло.
Похоже, мы все пришли к одному выводу: сколько бы вы
ни выпили, садясь в самолет, будете трезвы, как стек-
лышко.

Кажется, и другие так называемые успокаиваю-
щие средства, такие, как валиум, не более успешно справ-
ляются с этой проблемой. Это неудивительно! На самом
деле в глубине души мы знаем, что единственный способ
решить проблему — это устранить ее причину. Одним
из симптомов страха перед полетами является ощущение
физического напряжения. Алкоголь и валиум не только
не избавляют от страха перед полетами, они даже не сни-
мают симптомов этого страха, а просто стирают их из нашей памяти. Когда вы избавитесь от страха, то вам уже
не понадобится алкоголь, транквилизаторы или другие
иллюзорные подпорки.

В некоторых аэропортах перестали повторять, когда
ожидается посадка на самолет, а также последнее объяв-
ление об окончании посадки. Поэтому время от времени
посматривайте на экран дисплея, и, когда ваш самолет будет готов, спокойно направляйтесь к воротам, через которые идет посадка. Не нужно торопиться. Времени больше
чем достаточно, и хотя туалеты на самолете вполне отве-
чают гигиеническим требованиям, они обычно несколько
тесноваты и часто бывают заняты, поэтому перед посадкой
желательно воспользоваться одним из туалетов в зале отправления.

У выхода на посадку есть небольшой зал, в котором собираются все пассажиры вашего рейса. Когда объявляется посадка, вы проходите через этот выход и предъявляете свой посадочный талон. Обычно от здания аэропорта к самолету ведет закрытый проход.

Самой худшей стороной полета может быть то, что на самолете окажется несколько Юджинов. Они неизменно занимают первые пять рядов, садятся в самолет первыми и блокируют проход, устраивая свой ручной багаж на полки, расположенные над креслами, создавая затор и нанося увечья.

Здравомыслящая администрация аэропорта вначале объявляет посадку на задние места, затем на центральные и лишь потом на первые ряды. Было бы еще более разумным, если бы пассажиры в зале отправления располагались в такой же последовательности, чтобы избежать проблем. Некоторые эксперты советуют не садиться в самолет до самого последнего момента, чтобы сократить длительность полета. Подобный способ лишь усиливает панику, а не помогает устранить ее. Это ваш знаменательный день. Возможно, вы нервничаете, но тем не менее должны быть невозмутимы и спокойны. Я рекомендую вам, подойдя к выходу на посадку, сказать контролеру, что вы очень волнуетесь и хотели бы сесть в самолет первым. Персонал относится с большим пониманием к пассажирам, которые проявляют беспокойство, и сделает все, чтобы устроить вас на место. Вы также обнаружите, что на протяжении всего полета к вам будут относиться, как к очень важной персоне. Но когда члены экипажа увидят, что вы с достоинством справляетесь с трудностями, несмотря на сильное беспокойство, то будут относиться к вам с явным уважением.

Для вас гораздо лучше оказать первым в просторном, пустом самолете, иметь достаточно времени, чтобы устроить на полку свои сумки, пристегнуть ремень безопасности и вообще привыкнуть к новой обстановке, а затем откинуться в кресле, расслабиться и наблюдать за тем, как Юджины создают суматоху. Если, когда вы подойдете к своему месту, человек, стоящий позади вас, пожелает пройти, позвольте ему сделать это прежде, чем вы уложите свои сумки. Не забудьте перед этим достать свою книгу или другие предметы, которые могут вам понадобиться во время полета.

Страх перед полетом может быть очень похожим на застенчивость. Если вы последним приходите на вечеринку, то у вас создается впечатление, что там все знают друг друга и сказочно проводят время. Однако если вы приходите первым, то можете наблюдать, как прибывают остальные гости, видеть, насколько они смущены и растеряны, тогда вы берете инициативу в свои руки, представляетесь и полностью забываете о своей скованности.

То же самое происходит и во время полета: вы сидите в кресле, спокойный и расслабленный, наблюдая, как прибывают другие пассажиры, и понимая, что многие из них переживают сейчас те же трудности, что и вы.

Когда все пассажиры и экипаж благополучно разместились в самолете, люки закрываются, и самолет медленно начинает выруливать на взлетно-посадочную полосу. В это время один или несколько членов экипажа объяснят вам правила безопасности. Я уже описывал вам, как во время моего первого полета эти объяснения только усугубили мой страх: мне представилось, что экипаж явно ожидает какого-то бедствия. А сейчас я даже не утруждаю себя тем, чтобы послушать, о чем они говорят. Может быть, это потому, что я уже много летал и все это знаю? Нет, я просто уверен, что шансы на то, что мне когда-либо придется воспользоваться этими рекомендации, настолько ничтожны, что об этом даже не стоит беспокоиться.

Если все это так, то для чего нужно давать все эти рекомендации? Потому что экипаж обязан это делать по закону и потому, что именно благодаря такому вниманию к деталям современная гражданская авиация столь надежна. Разве я не чувствую своей вины, признаваясь, что даже не утруждаю себя выслушиванием рекомендаций по безопасности? Нет, нисколько. Это моя привилегия, я знаю, что они мне не понадобятся. Когда вы заходите в кинотеатр, театр, магазин, отель или другое общественное здание, разве вы проверяете, на месте ли огнетушители и где находится запасный выход? Если вы этого не делаете, то вы вдвое более безответственный человек, чем я. Я не чувствую себя неловко, поскольку вижу, что все остальные в салоне тоже не обращают никакого внимания на то, что говорит бедная стюардесса, подробно объясняя все правила.

Теперь мы подошли к самому трудному вопросу. Реальная перемена от того состояния, когда полеты внушали мне ужас, до нынешнего состояния, когда мне стало нравиться летать, связана со

ВЗЛЕТОМ.

24

Взлет

Подобно тем глупцам, которые тратят жизнь в попытках передвинуть какой-нибудь предмет, не прикасаясь к нему, исключительно силой своей мысли, я физически старался поднять самолет со взлетной полосы. Я пытался не только выполнить работу пилота, но и фактически помочь двигателям. Меня не обучали управлять самолетом, и я ничего не знал о законах аэродинамики. Почему же я так поступал?

Многие специалисты подробно объясняют, что такое механика взлета. Некоторая информация действительно важна. Например, во время моего первого полета, как только мы взлетели, самолет вдруг сильно накренился влево. Мое место было не у окна, но я вдруг обнаружил, что вижу землю. Я был убежден, что что-то случилось: или заглох двигатель, или возникла какая-то механическая неисправность, самолет стал неуправляемым, и мы вскоре понесемся обратно к земле, или же мы безрезультатно пытаемся избежать столкновения с другим самолетом.

Я был не настолько наивен, чтобы поверить, что пилоты на современных гражданских авиалиниях не откажут себе в удовольствии показать фигуры высшего пилотажа. Но никто не объяснил мне, что самолеты поворачивают точно так же, как это делают велосипеды и мотоциклы, и что это вполне естественно. Попытайтесь повернуть на велосипеде, когда вы держитесь абсолютно прямо, и вы поймете, что я имею в виду. Наверно, для меня это должно было быть очевидным. Но, к сожалению, это было не так.

Очевидно, мне следовало бы также знать, что было бы слишком большим совпадением, если бы взлетная полоса была направлена именно в ту сторону, куда мы хотели лететь, что после завершения взлета вполне естественно повернуть и, следовательно, сделать вираж, чтобы взять правильный курс.

Мне нравится считать себя здравомыслящим и умным человеком. Но страх и ум не идеальные компаньоны. Я не сомневаюсь, что мой страх перед полетами не позволил мне увидеть очевидное. Однако если бы я был подготовлен, то, по крайней мере, тот вираж не усугубил бы мой страх.

Полагаю, что на мое состояние больше всего повлияли звуки, издаваемые гидравлическими системами. Помню, что эти звуки я услышал сразу же после взлета самолета и подумал: вот убирают шасси, но не преждевременно ли? Конечно, когда самолет пошел на вираж, это доказало мне, что я был прав, или мне казалось, что я был прав. Вы улавливаете смысл того, о чем я говорю? Без каких бы то ни было умений я, по сути дела, пытался управлять самолетом. Думал, что я знаю больше, чем пилот. Неудивительно, что я испугался.

Еще хуже было дело, когда мы пошли на посадку. Успешно продержав самолет в воздухе более двух часов, несмотря на несостоятельность пилота и штурмана, я теперь должен был успешно совершить посадку. Мне было ясно, что пилот еще не выпустил шасси и делает он это несколько замедленно. Несомненно, он так поглощен болтовней с одной из красавиц стюардесс, что обо всем забыл.

И вот, счастье! И какое счастье! Я слышу звуки, возвещающие о том, что выпускаются шасси. Я откидываюсь назад со вздохом облегчения — еще один критический момент миновал. Но вдруг — снова эти звуки. Наверное, этот неуклюжий осел случайно локтем задел кнопку выпуска шасси и втянул их обратно. Или, может быть, шасси заклинило или они не закрепились надежно? Я, должно быть, насмотрелся фильмов, в которых шасси не выпускалось, или, хуже того, колесо опускалось только под одним крылом. Мне не приходило в голову, что мы летим не на «Спитфайере».

Были еще две серьезные причины для паники во время моего первого полета. Это — монотонные звуки, издаваемые системой оповещения. Стюардесса с озабоченным видом стремительно пробежала по проходу. Явно случилось что-то плохое! Оказалось, что озабоченный вид у нее потому, что в тот самый момент, когда командир экипажа попросил еще чашечку кофе, какой-то Юджин, играя с кнопками, меняющими положение кресла, нажал одну из них, и это потребовало внимания стюардессы. Бедная девушка уже была сыта по горло Юджинами, которые встречаются на каждом рейсе. Ее долг говорил ей, что нужно прежде всего выполнить просьбу командира, но по правилам, установленным компанией, пассажир всегда на первом месте, вот поэтому у нее и был озабоченный вид.

Другой причиной паники была постоянно меняющаяся высота звука, издаваемого двигателями. Хорошо, я ожидал звука, издаваемого при включении начальной тяги, но почему звук исчез так быстро, как только мы взлетели? Неудивительно, что я тут же подумал: «Двигатель заглох или возникли какие-то проблемы в механике». И почему после того, как мы благополучно коснулись земли, двигатели не выключили, они напротив зазвучали еще громче?

Это был шум реверса тяги. Пилот таким образом тормозил двигателем. Не беспокойтесь, ему не нужно теперь этого делать, самолет снабжен эффективной и отвечающей всем требованиям системой торможения. Реверсивная тяга просто делает ее еще более эффективной и экономичной.

Суть в том, что изменение высоты звука, издаваемого двигателями во время полете, вполне нормальное явление. Также нормален и монотонный звук, издаваемый системой оповещения. Если вы, сидя в самолете, пытаетесь оценить любое изменение в звуке двигателя, если вас беспокоит каждый поворот, каждый сигнал системы оповещения, каждый скрежет гидравлики, то это значит, что вы управляете самолетом! А ввиду того, что вы не специалист в этом деле и не можете понять, что на самом деле происходит, вы просто терзаете себя без всякой на то разумной причины,

ТАК ЧТО НЕ ДЕЛАЙТЕ ЭТОГО!

Вот моя девятая и последняя рекомендация:

НЕ ПЫТАЙТЕСЬ УПРАВЛЯТЬ САМОЛЕТОМ!

Неужели вы думаете, что люди, потратившие уйму денег, чтобы совершить круиз на роскошном океанском лайнере, находятся там, чтобы управлять кораблем, или размышляют о том, утонет ли он, хорошо ли капитан и его команда знают свое дело? Конечно же, нет. Они находятся там, чтобы получать удовольствие, чем они и занимаются.

Вы в аналогичном положении. Вас везет не Юджин, и, беспокоясь, что не владеете ситуацией, вы очень сильно ошибаетесь. Вы доверили себя самым замечательным в мире специалистам в своем деле; неужели вы бы могли подумать, что владеете ситуацией, если бы сами управляли самолетом?

Поэтому просто примите как должное: в какие-то моменты во время полета самолет будет делать развороты и виражи; гул, издаваемый двигателями, будет то повышаться, то понижаться; вы услышите скрежет и «ворчание» гидравлических систем; система оповещения будет издавать монотонные звуки; вас могут попросить пристегнуть ремни безопасности в середине полета. Это не означает, что самолет собирается совершить вынужденную посадку, просто капитан предвидит турбулентность и пытается избежать ее. Помните, что сильная турбулентность — очень редкое явление, но даже в тех случаях, когда вам, возможно, придется встретиться с ней, знайте:

ОНА НЕ ОПАСНА!

Именно в этом и состоит реальное различие между моим первым и последним полетами.

Во время своего первого полета я был напуган, и вместо того чтобы доверить свою безопасность экипажу самолета, из-за своего страха усомнился в его надежности, поэтому мой полет превратился в кошмар, хотя он должен был стать для меня радостным и волнующим событием. Теперь я знаю, что полет сам по себе безопасен, моя жизнь в руках преданных своему делу высококвалифицированных и компетентных специалистов, и, если меня все-таки тревожат звуки, издаваемые гидравликой, я даже не пытаюсь размышлять о том, с чем они связаны: убирают ли шасси или двигаются подкрылки. Если бы я задумывался об этом, значит, я бы управлял самолетом. Поэтому я с большой радостью позволяю экипажу выполнять свою работу, а они тем временем помогают мне заниматься моим делом —

НАСЛАЖДАТЬСЯ ПОЛЕТОМ!

25

Наслаждайтесь полетом!

В лондонском аэропорту «Хитроу», после того как самолет успешно завершил посадку, по системе оповещения объявляют:

«СЕЙЧАС НАЧИНАЕТСЯ САМАЯ ОПАСНАЯ ЧАСТЬ ВАШЕГО ПУТЕШЕСТВИЯ».

Они имеют в виду поездку в автомобиле от аэропорта «Хитроу» до центра Лондона. Если судить по статистике, то я знаю, что они правы. Но по каким-то причинам я никогда не воспринимал этой информации. Мои руки были влажными после выполнения тяжелой задачи — я хотел обеспечить самолету безопасную посадку, а чувство облегчения было настолько сильным, что мне не терпелось поскорее сесть в свой автомобиль и поехать домой.

Теперь я понимаю, что отчасти этот парадокс заключался в терминологии. Это все равно что спросить: «Какая часть полета самая безопасная: взлет или посадка?» Вопрос подразумевает существование опасности. Если бы служащие авиакомпании перефразировали свое заявление, сказав: «Сейчас начинается наименее безопасная часть вашего путешествия», то тогда, возможно, оно произвело желаемый эффект. Но, говоря пассажирам, что езда на автомобиле более опасна, чем полет на самолете, они только подтверждали мои страхи по поводу того, что полет сам по себе опасен.

В настоящее время я не только считаю, что езда в автомобиле менее безопасна, чем полет, но и здраво и с осторожностью отношусь к таким поездкам, даже если сам веду машину. Хочу отметить, что вожу машину очень уверенно, и, рискуя показаться нескромным, скажу, что я очень хороший водитель. Я не говорю, что превратил свой страх перед полетами в страх перед вождением. В моем понимании очень хороший водитель — это очень осторожный водитель. Я пытаюсь применить к своему вождению те же принципы, которые гражданская авиация применяет к безопасности полетов: БЕЗОПАСНОСТЬ НА ПЕРВОМ МЕСТЕ. Поэтому я не боюсь водить автомобиль, но более осторожен и лучше чувствую опасность, чем это было раньше.

Из информации, полученной при чтении заполненных анкет, многочасовых бесед с теми, кто страдает от страха перед полетами, из моего собственного опыта и особенно из опыта поездок с Юджином, мне стало ясно, что полет, от которого вы получаете удовольствие, отличается от полета, который является для вас кошмаром, исключительно тем, насколько безопасно вы себя чувствуете.

Теперь я понимаю, что существует множество причин, по которым путешествие может быть неприятным, даже если оно проходит благополучно. Например, похоронная процессия движется со скоростью, которая не вызовет сердцебиения даже у самого опасливого путешественника. Слышали ли вы когда-нибудь, чтобы присутствующий на похоронах человек говорил: «О, мы прекрасно доехали до кладбища!» Поэтому если повод для поездки не слишком приятен, как, например, визит к дантисту или деловая командировка, в которую у вас нет желания ехать, то вряд ли вам доставит удовольствие это путешествие, каким бы видом транспорта вы ни воспользовались. Тем не менее обратная поездка может оказаться чрезвычайно приятной. Вам стоит постоять у дверей кабинета дантиста и понаблюдать, как невероятно меняется выражение лица у пациентов, входящих в кабинет и выходящих из него.

Другой фактор, который может испортить в прочих отношениях приятное путешествие, — это уровень комфорта. Меня приводят в ужас катания на аттракционах. Если бы я потрудился провести исследование по этому вопросу, то, несомненно, обнаружил бы, что по статистике это гораздо безопаснее езды в автомобилях. У меня нет желания делать это, потому что даже если бы аттракционы были столь же безопасны, как полет в самолете или поездка в лифте, я все равно не испытал бы от них никакого удовольствия. Когда я катаюсь на аттракционах, мой желудок несется в одну сторону, а я лечу в другую.

Я хочу заострить ваше внимание на том, что есть несколько факторов, которые могут сделать путешествие неприятным, но они никак не связаны с безопасностью. Каким бы приятным не было путешествие, вы можете не получить от него удовольствия, если это был визит к дантисту. Однако обратное тоже не истина; если повод для вашего путешествия радостен, то вовсе необязательно, что вы получите удовольствие от него. Напомню, вы читаете эту книгу потому, что путешествие по приятному поводу может быть испорчено из-за вашей боязни летать.

Я хочу сравнить поездку в автомобиле с полетом, устранив эти побочные факторы. Повод для путешествия — это две недели отдыха на курорте Коста дель Соль* в Испании. У вас современный удобный автомобиль, который только что прошел технический осмотр, и вас везет не какой-нибудь Юджин, а вы сами ведете машину. Что может быть лучше?

Если судить по моей анкете, у людей в подобной ситуации возникают два типа страха, и мне трудно определить, какой из них важнее. В итоге я пришел к выводу, что именно сочетание этих двух типов страхов и вызывает СПП. Первый мы уже подробно разобрали: это страх, связанный с механическими неисправностями. Второй:

Я НЕ ВЛАДЕЮ СИТУАЦИЕЙ!

Что заставляет вас думать, что вы владеете ситуацией, когда ведете свой автомобиль? Я согласен, при условии, что в вашем автомобиле не обнаружится какой-нибудь дефект, вы полностью отвечаете за него. Возможно, вы не один из Юджинов, но буквально окружены ими. Все они несутся по дороге в нескольких сантиметрах друг от друга, подрезая обгоняемые машины, в том числе и вас. Разве вы можете контролировать их? Даже если вы едете по автостраде или по шоссе со встречным движением, вы

---

* Коста дель Соль — «Берег Солнца» — курортная зона в Испании.

уверены, что какой-то Юджин на другой стороне дороги не создаст нагромождение столкнувшихся машин, а затем, катапультировавшись на вашу сторону, не устроит затор и здесь? Такие аварии без преувеличения каждый день случаются на крошечном острове Британия. А знаете ли вы, сколько аварий с человеческими жертвами произошло в Великобритании на рейсах, входящих в «ПЕРЕЧЕНЬ», с 1990 года?

ВСЕГО ТРИ!!!

Вы знаете, сколько человеческих жертв было в результате этих аварий?

ВСЕГО ПЯТНАДЦАТЬ!!!

Только задумайтесь об этом. За последние восемь лет в Великобритании в результате авиакатастроф, происшедших в рамках «ПЕРЕЧНЯ», погибло всего лишь 15 человек. Это менее двух человек в год!

«Но в полете вы находитесь на высоте 10,5 км, а я — в безопасности на твердой земле!»

А что безопасного в этой твердой земле? Когда вы в следующий раз будете мчаться по шоссе, пытаясь избежать Юджинов, трудно поверить, что вы едете в полной изоляции по своему собственному частному шоссе, а ЮДЖИНАМ здесь ездить не разрешается. На 10-километровой высоте действительно не существует никаких препятствий, и здесь вы вряд ли встретитесь с сотнями других автомашин или других объектов, с которыми можете столкнуться внизу, на дорогах, учитывая, что вы сами, возможно, заснете или съедете с трассы.

«Может быть, это правда, Но я, по крайней мере, веду машину сам. Я владею ситуацией!»

Ну поздравляю! Я не хочу никого обидеть, но мой шофер гораздо более опытный и компетентный водитель, чем любой из вас, и разве вы уже забыли о разнообразных Юджинах? Помните, что немецкие Юджины ездят со скоростью 240 км/ч.

«Но предположим, что двигатель заглохнет или у пилота случится сердечный приступ на высоте 10 км».

Никаких проблем. У нас есть еще один запасной двигатель и еще два пилота, которые в тот же миг могут взять управление самолетом в свои руки, причем оба они столь же квалифицированны, как командир. А что будет с вашими пассажирами, если у вас случится сердечный приступ?

«Но вы летите со скоростью 800 км/ч, а я еду только со скоростью 110 км/ч. Согласитесь, 800 км/ч — это гораздо опаснее».

Опаснее ездить по земле, как вы, окруженным Юджинами и разнообразными твердыми объектами, которые лишат вас жизни, если вы врежетесь в них. Но на высоте 10 км нет ничего такого, с чем можно столкнуться. Помните, что Земля вращается со скоростью 112 630 км/ч в течение трех миллиардов лет. И еще не было ни одного столкновения. По множеству причин вы в полной безопасности на высоте более 10 км над уровнем моря. Просто подумайте, от чего можно пострадать на высоте 10 км?

«Я понимаю, о чем вы говорите, но, чтобы подняться на высоту 10 км, этот самолет еще должен взлететь. А ведь потом он должен сесть!»

Теперь вы начинаете понимать, о чем я толкую. На высоте 10 км совершенно безопасно, вы летите со скоростью, которая на земле действительно опасна. Только при взлете и приземлении существует некоторый риск. Но и тогда риск бесконечно мал, о нем не стоит и беспокоиться. Скорость самолета будет гораздо меньше, чем средняя скорость, с которой ездят автомобили «Формулы-1» по гоночному треку. И эта скорость сохраняется всего лишь несколько десятков секунд, прежде чем самолет взлетит, и столько же после того, как он коснется земли. Даже тогда посадочная полоса будет в четыре раза шире, чем средний гоночный трек. За всю историю автогонок, которые мы считаем очень опасным видом спорта, не было зарегистрировано ни одного случая человеческих жертв, когда выполнялись все правила.

Вы должны также помнить, что взлет и посадка длятся в течение двух минут. Весь полет в Испанию займет около двух часов. Поездка на автомашине — два дня! Неужели вы действительно хотите потратить четыре дня вашего отпуска, путешествуя по дорогам, окруженные докучающими вам Юджинами, когда можете путешествовать, ощущая себя на седьмом небе в течение всего полета? Ну, вот, мы почти закончили. Остается только сделать

ЗАКЛЮЧЕНИЕ.

26

Заключение

Страх — ваш друг. Страх рационален. Вспомним пример с гориллой-вожаком и зеркалом: пока он считал, что отражение в зеркале — это соперник, его страх был вполне естественным, хотя основывался на ложном представлении. Но как только он понял, что нет причин для страха, страх исчез. Однако если бы этот страх у него по-прежнему сохранился, то он был бы уже иррационален.

НО У НЕГО СТРАХ НЕ СОХРАНИЛСЯ!!!

Страх перед полетом также рационален, хотя он основан на ложных представлениях. Как только мы избавляемся от них, у нас исчезает страх перед полетами. К сожалению, страх перед полетами не так прост, как проблема гориллы. Ему надо было избавиться только от одной ошибки, в то время как страх перед полетами — это запутанный клубок множества ложных представлений. Страх перед полетом — это фактически соединение нескольких страхов, причем каждый из них вызван еще большим числом ложных представлений.

Давайте перечислим их еще раз: неестественность полета для человека, высота, клаустрофобия, удушье, чувство ловушки, плохие метеоусловия, нехватка топлива, крушения и столкновения, механические неполадки, отсутствие контроля над ситуацией, саботаж, человеческий фактор в работе экипажа, оплошности диспетчерских служб, пожар, падение с высоты.

Напомню, что, как это ни удивительно, ни один из участников опроса не указал в анкете, что он боится поездов. А разве езда на поезде естественна? Поезда не более естественны, чем самолеты. Возможно, путешествие на поезде кажется нам более привычным, чем полет, потому что поезд уже был признанным и надежным средством передвижения, когда мы родились, в то время как люди постарше были свидетелями зарождения и развития безопасной гражданской авиации.

Поезда не меньше, чем самолеты, могут вызывать ощущение клаустрофобии, но вы не задохнетесь ни там, ни тут. Риск пожара на поездах так же велик, как на самолетах, а ввиду того, что поезда едут на одной и той же высоте, по пересекающимся путям, риск столкновения значительно больше. Во время движения вы не можете сойти с поезда, когда вам захочется, так же, как вы не можете выйти из самолета. Поезда, как и самолеты, зависят от человека, будь то стрелочник или машинист поезда, они подвержены влиянию погоды и механическим неполадкам, как об этом знает любой часто ездящий на поездах пассажир. Ввиду того, что любая неисправность или предмет, лежащий на рельсах, протянувшихся на тысячи километров, может вызвать крушение, поезда более уязвимы, чем самолеты гражданской авиации.

Те, кто страдает от страха перед полетами, чаще всего жалуются на то, что они не владеют ситуацией. А разве на поезде вы лучше владеете ситуацией? Суть в том, что на поезде вам это и не требуется, так как вы чувствуете, что защищены и находитесь в безопасности.

Мы пытаемся избавиться от этой путаницы; все прочее — это просто отвлекающие маневры. Если бы они были действительной причиной вашего страха перед полетами, то вы боялись бы и поездок на поезде.

Итак, если мы сбросим со счетов эти отвлекающие факторы, то с чем мы останемся? Какие страхи, связанные с полетами на самолете, нельзя отнести к поездкам на поезде? На поезде нет боязни высоты: если кончится топливо или случится механическая неисправность, вы не рухнете с огромной высоты на землю. Как я уже объяснял, на самолетах авиалиний, входящих в «ПЕРЕЧЕНЬ», не может закончиться топливо. Вероятность, что оба двигателя одновременно выйдут из строя, равна отношению единицы к миллиону, и даже если невозможное произойдет, самолет продолжит свой полет, он не упадет камнем на землю.

Но, вероятно, вас тревожит еще один вопрос. Курильщикам, приходящим в нашу клинику, трудно поверить, что через четыре часа они могут выйти из нее уже счастливыми некурящими людьми и не будут курить всю оставшуюся жизнь. Многие думают, что им придется пройти через переходный болезненный период, когда по-прежнему будет очень сильно хотеться выкурить сигарету.

Точно так же многие алкоголики думают, что если они решили воздерживаться от выпивки, то им придется пройти через мучительный этап выздоровления, но при этом они никогда не излечатся от алкоголизма полностью. Все это наглядно показывает, какую невероятную мощь имеет «промывание мозгов», которому общество подвергает нас с самого рождения. Алкоголики могут вполне осознавать, что причиной их проблемы является алкоголь. Но они совершенно не видят того, что их жизнь была полной и насыщенной до того, как они начали употреблять спиртное и что они решат свои проблемы, как только перестанут пить. По каким-то причинам они предполагают провести всю оставшуюся жизнь, горюя по поводу своего лишения, — недоступного счастья быть алкоголиком. Еще более нелепо то, что, выпивая по две бутылки виски в день, они отказываются признать себя больными. Но как только они дают обещание не принимать ни капли алкоголя в течение 20 лет, как сразу начинают называть себя алкоголиками.

То же самое можно сказать и о моей методике снижения веса, описанной в книге «Легкий способ сбросить вес»: вам не нужно ждать, пока вы достигнете желаемого веса. Это касается любой проблемы в жизни: если вы знаете, что у вас есть решение, то считайте, что проблемы нет. Только если вы сомневаетесь в себе, вам придется ждать доказательств, чтобы узнать, правильно ли оно или нет. Вы, должно быть, думаете:

«Я не могу ничего возразить против того, что вы сказали, но я все еще боюсь летать. Должен ли я ждать доказательств, чтобы узнать, не буду ли я бояться, когда я полечу в следующий раз?»

Нет, в этом полете самолет взлетит и приземлится благополучно, как это всегда и происходит. Я совершил десятки полетов, во время которых самолеты взлетали и приземлялись благополучно, но они не излечили моего страха перед полетами. Мне не нужно было летать, чтобы приобрести страх перед полетами. У меня он был еще до моего первого полета. Последующие полеты с благополучными взлетами и посадками ни в коей мере не помогли мне избавиться от убеждения, что любой полет неестествен и опасен.

Страх перед полетами чисто психологическая проблема, основанная на ложных представлениях. Эти ложные представления не устраняются, даже если вы рискуете своей жизнью тысячу раз и вам при этом везет остаться в живых. Они исчезают только тогда, когда вы осознаете, что они ложны. Вам не нужно совершить благополучный полет, чтобы излечиться от страха перед полетами. Адель избавилась от своего страха после нашего с ней разговора, я избавился от своего страха за время исследований, которые проводил для этой книги, а вам очень важно лишиться своего страха еще до того, как вы закончите читать.

Страх перед полетами рационален, если у вас есть ложные представления. К данному моменту вы уже должны были избавиться от них, и если вы все еще боитесь летать, то иррационален не ваш страх, а вы сами. К сожалению, в нашем мире еще встречаются нерационально мыслящие люди. Они имели счастье получить удивительный подарок — жизнь. Слишком часто это те люди, которые, казалось бы, не имеют никаких проблем в жизни. Они привлекательны, здоровы, богаты, имеют прекрасные семьи и друзей. Тем не менее по каким-то необъяснимым причинам они всегда создают самим себе трудности и всегда словно плывут против течения.

Если у вас все еще остался страх перед полетами, то, возможно, вы один из таких людей; если это так, вам следует перестать биться головой о стенку. Вероятно, что-то не было учтено мной. В таком случае попытайтесь проанализировать сами, от каких ложных представлений вам не удалось избавиться. Просмотрите Приложение Б и спросите себя, скрупулезно ли вы выполняли все рекомендации. Если и это не решит проблемы, то перечитайте мою книгу, и если у вас по-прежнему останутся трудности, можете, не смущаясь, написать мне.

Прекрасная истина состоит в том, что полеты совершенно безопасны, даже если мы боимся их. Если вы отказались от предубеждений и выполнили все мои рекомендации, то сейчас вы должны испытывать такое же чувство радостного возбуждения, которое испытали Адель и я, с нетерпением рвавшиеся совершить свой следующий полет. Выбор за вами. Вы хозяин собственной жизни:

ОТКРОЙТЕ РАКОВИНУ, И ВЫ ОБНАРУЖИТЕ ВНУТРИ ПРЕКРАСНУЮ ЖЕМЧУЖИНУ.

Приложение A

Анкета

В таком вопросе, как страх перед полетами, трудно быть объективным. Единственное, о чем я вас прошу, — по возможности правдиво ответить на каждый вопрос. Сделать это вам, вероятно, будет легче, если вы узнаете, что эту анкету прочтет только Аллен Карр, который раньше тоже страдал от аналогичных проблем, и при этом будет соблюдена полная конфиденциальность. Спасибо.

Фамилия: Имя:

Адрес: Телефон: Возраст:

Заставляет ли вас ваш страх перед полетами:	**ДА**	**НЕТ**
стыдиться	11%	89%
ощущать себя трусом	22%	78%
чувствовать, что ваше поведение иррационально	56%	44%
чувствовать себя глупцом	33%	67%
чувствовать, что вы хуже людей, не страдающих от СПП	44%	56%
Помимо страха перед полетами страдаете ли вы обычно от:		
приступов паники	11%	89%
клаустрофобии	22%	78%
страха высоты	67%	33%

страха водить автомобиль	11%	89%
страха, когда вас везут:		
определенные водители	89%	11%
любые другие водители	22%	78%
страха других видов транспорта, например:		
поездов	0%	100%
кораблей	44%	56%
лифтов	33%	67%
эскалаторов	11%	89%
аттракционов	78%	22%

Считаете ли вы свой СПП фобией?	67%	33%
Обманываете ли вы своих друзей и/или родственников, чтобы скрыть свой СПП?	22%	78%
Верите ли вы в то, что ваш СПП исчезнет, если вы будете заранее знать, что самолет приземлится благополучно?	78%	22%

Назовите, пожалуйста, другие фобии, которые не были перечислены выше.

Почему у вас страх перед полетами?

Задайте, пожалуйста, любые вопросы, которые, по вашему мнению, следовало бы задать, но которые не были включены в эту анкету, а на обратной стороне изложите краткую историю своих СПП, в том числе: когда это началось; в чем, по вашему мнению, состоит их причина. Удерживало ли вас это от полетов? Если нет, то хуже или лучше вы чувствовали себя после полетов? Обращались ли вы за помощью?

КЛИНИКИ АЛЛЕНА КАРРА

Далее приводится список клиник Аллена Карра «Бросаем курить» (Allen Carr's Stop Smoking Clinics), в которых отмечается 90% случаев успешного излечения, подкрепляемых гарантией возврата денег.

В некоторых клиниках занимаются также проблемами алкоголизма и избыточного веса. За подробностями обращайтесь в ближайшую к вам клинику.

Аллен Карр гарантирует, что в его клиниках вы легко бросите курить, или вам вернут деньги.

ALLEN CARR'S EASYWAY — ЦЕНТРАЛЬНЫЙ ОФИС

ЛОНДОН
Park House, 14 Pepys Road, Raynes Park, London SW20 8NH
Тел.: +44 (0) 208 944 7761
E-mail: mail@allencarr.com
Сайт: www.allencarr.com

Международный пресс-центр
Тел.: +44 (0) 7970 88 44 52
E-mail: jd@statacom.net

Английская горячая линия «Бросайте курить»:
Тел.: 0906 604 0220 (тариф: 60 пенсов/мин.)
Бесплатная телефонная линия: 0800 389 2115

АВСТРИЯ

Семинары проводятся по всей стране
Бесплатная телефонная линия и линия бронирования:
0800 RAUCHEN (0800 7282436)
Triesterstraße 42, 8724 Spielberg
Тел.: 0043 (0) 3512 44755
Факс: 0043 (0) 3512 44755–14
Лечащий врач: Эрик Келлерманн
E-mail: info@allen-carr.at
Сайт: www.allencarr.com

БЕЛЬГИЯ

АНТВЕРПЕН
Koningin Astridplein 27 B–9150 Bazel
Тел.: 03 281 6255
Факс: 03 744 0608
Лечащий врач: Дирк Ниланд
E-mail: easyway@dirknielandt.be
Сайт: www.allencarr.com

ВЕЛИКОБРИТАНИЯ

АНГЛИЯ

ЛОНДОН
Park House, 14 Pepys Road, Raynes Park, London SW20 8NH
Тел.: 020 8944 7761
Факс: 020 8944 8619
Лечащие врачи: Джон Дайси, Сью Болшоу, Сэм Кэрролл, Колин Двайер, Криспин Хэй, Дженни Рутерфорд
E-mail: mail@allencarr.com
Сайт: www.allencarr.com

БИРМИНГЕМ
415 Hagley Road West, Quinton, Birmingham B32 2AD
Тел./факс: 0121 423 1227
Лечащие врачи: Джон Дайси, Колин Двайер, Криспин Хэй
E-mail: easywayadmin@tiscali.co.uk
Сайт: www.allencarr.com

БОРНМУТ, САУТГЕМПТОН
Тел.: 0800 028 7257
Тел./факс: 01425 272757
Лечащие врачи: Джон Дайси, Колин Двайер, Сэм Кэрролл
Сайт: www.allencarr.com

БРАЙТОН
Тел.: 0800 028 7257
Лечащие врачи: Джон Дайси, Колин Двайер, Сэм Кэрролл
Сайт: www.allencarr.com

БРИСТОЛЬ, СУИНДОН
Тел.: 0117 950 1441
Лечащий врач: Чарльз Холдсворт Хант
E-mail: stopsmoking@easywaybristol.co.uk
Сайт: www.allencarr.com

Приложение Б

Рекомендации

БАКИНГЕМШИР: МИЛТОН-КИНС, ХАЙ-ВИКОМБ, ОКСФОРД, ЭЙЛСБЕРИ
Тел.: 0800 0197 017
Лечащий врач: Ким Беннетт
E-mail: kim@easywaybucks.co.uk
Сайт: www.allencarr.com

КОВЕНТРИ
Тел.: 0800 321 3007
Лечащий врач: Роб Филдинг
E-mail: info@easywaycoventry.co.uk
Сайт: www.allencarr.com

ДЕРБИ
Тел.: 0845 257 5994
Лечащий врач: Марк Харгривз
E-mail: info@easywayderby.co.uk
Сайт: www.allencarr.com

ЭКСЕТЕР
Тел.: 0117 950 1441
Лечащий врач: Чарльз Холдсворт Хант
E-mail: stopsmoking@easywayexeter.co.uk
Сайт: www.allencarr.com

КЕНТ
Тел.: 0800 389 2115
Лечащий врач: Анджела Джуанно
Сайт: www.allencarr.com

ЛАНКАШИР, САУТПОРТ
Тел.: 0800 077 6187
Лечащий врач: Марк Кин
E-mail: mark@easywaylancashire.co.uk
Сайт: www.allencarr.com

ЛЕЙСТЕР
Тел.: 0800 321 3007
Лечащий врач: Роб Филдинг
E-mail: info@easywayleicester.co.uk
Сайт: www.allencarr.com

ЛИВЕРПУЛЬ
Тел.: 0800 077 6187
Лечащий врач: Марк Кин
E-mail: mark@easywayliverpool.co.uk
Сайт: www.allencarr.com

МАНЧЕСТЕР
Бесплатная телефонная линия:
0800 804 6796
Лечащий врач: Роб Гроувс
E-mail: stopsmoking@easywaymanchester.co.uk
Сайт: www.allencarr.com

СЕВЕРО-ВОСТОК
Тел./факс: 0191 581 0449

Лечащий врач: Тони Этрил
E-mail: info@stopsmoking-uk.net
Сайт: www.allencarr.com

ГЕРМАНИЯ

Семинары проводятся по всей стране
Бесплатная телефонная линия и линия бронирования:
08000RAUCHEN (0800 07282436)
Kirchenweg 41, D–83026 Rosenheim
Тел.: 0049 (0) 8031 90190–0
Факс: 0049 (0) 8031 90190–90
Лечащий врач: Эрик Келлерманн
E-mail: info@allen-carr.de
Сайт: www.allencarr.com

ГРЕЦИЯ

АФИНЫ И АТТИКА
Тел.: 0030 210 5224087
Лечащий врач: Панос Тсурас
E-mail: panos@allencarr.gr
Сайт: www.allencarr.com

ДАНИЯ

КОПЕНГАГЕН
Тел.: 0045 70267711
Лечащий врач: Мэтт Фонсс
E-mail: mette@easyway.dk
Сайт: www.allencarr.com

ИРЛАНДИЯ

ДУБЛИН, КОРК
Местная линия (Ирландия)
1 890 ESYWAY (37 99 29)
Тел.: 01 494 9010 (4 линии)
Факс: 01 495 2757
Лечащий врач: Бренда Суини
E-mail: info@allencarr.ie
Сайт: www.allencarr.com

ИСПАНИЯ

МАДРИД, БАРСЕЛОНА
Доступно и в других районах
Тел.: 902 10 28 10
Факс: 942 83 25 84
Главный офис: Felisa Campuzano, 21, 39400 Los Corrales de Buelna, Cantabria, Spain
Лечащие врачи: Джоффри Моллой, Риа Сиви
E-mail: easyway@comodejardefumar.com
Сайт: www.allencarr.com

ИТАЛИЯ

МИЛАН
Via Renato Fucini, 3, 20133 Milano
Тел./факс: 02 7060 2438
Лечащий врач: Франческа Чесати
E-mail: info@easywayitalia.com
Сайт: www.allencarr.com

НИДЕРЛАНДЫ

АМСТЕРДАМ
Pythagorasstraat 22, 1098 GC
Amsterdam
Тел.: 020 465 4665
Факс: 020 465 6682
Лечащий врач: Эвелин де Моойдж
E-mail: amsterdam@allencarr.nl

УТРЕХТ
De Beaufortlaan 22B, 3768
MJ Soestduinen (gem. Soest)
Тел.: 035 602 94 58
Лечащий врач: Паула Роодуин
E-mail: soest@allencarr.nl

РОТТЕРДАМ
Mathenesserlaan 290, 3021
HV Rotterdam
Тел.: 010 244 07 09
Факс: 010 244 07 10
Лечащий врач: Китти ван'т Хоф
E-mail: rotterdam@allencarr.nl

НИЙМЕГЕН
Van Heutszstraat 38, 6521 CX Nijmegen
Тел. 024 336 03305
Лечащий врач: Жаклин Ван ден Бош
E-mail: nijmegen@allencarr.nl
Сайт: www.allencarr.com

НОРВЕГИЯ

ОСЛО
Bygdøy Allé 23, 0262 Oslo
Тел.: 23 27 29 39
Факс: 23 27 28 15
Лечащий врач: Лейла Торсен
E-mail: post@easyway-norge.no
Сайт: www.allencarr.com

ПОЛЬША

ВАРШАВА
Ul. Wilcza 12 B/m 13, 02–532 Warszawa
Тел.: 022 621 36 11
Лечащий врач: Анна Кабат
E-mail: info@allen-carr.pl
Сайт: www.allencarr.com

ПОРТУГАЛИЯ

ОПОРТО
Edificio Zarco, Rua Goncalves Zarco
1129B, sala 109,
Leca de Palmeira, 4450–685 Matosinhos
Тел.: 22 9958698
Лечащий врач: Риа Слоф
E-mail: info@comodeixardefumar.com
Сайт: www.allencarr.com

СЕРБИЯ

БЕЛГРАД
E-mail: milosrakovic@allencarrserbia.com
Сайт: www.allencarr.com

СЛОВАКИЯ

Тел.: 00421 908 572 551
Лечащий врач: Адриана Дубецка
E-mail: terapeut@allencarr.sk
Сайт: www.allencarr.com

ТУРЦИЯ

Тел.: 0090 212 358 5307
Лечащий врач: Эмре Устунукар
E-mail: info@allencarrturkiye.com
Сайт: www.allencarr.com

ФРАНЦИЯ

Семинары проводятся по всей стране
Бесплатная линия бронирования:
0800 FUMEUR
11b rue St Ferreol, 13001 Marseille
Тел.: 33 (4) 91 33 54 55
Лечащий врач: Эрик Серр
E-mail: info@allencarr.fr
Сайт: www.allencarr.com

ЧЕХИЯ

Тел.: 00420 774 568 748 или 00420 774
KOURIT
Лечащий врач: Адриана Дубецка
E-mail: terapeut@allencarr.cz
Сайт: www.allencarr.com

ШВЕЦИЯ

ГЕТЕБОРГ, МАЛЬМЕ
Тел.: 0708 20078
E-mail: martin@easyway.nu
Сайт: www.allencarr.com

СТОКГОЛЬМ
Тел.: 08 5999 5731
Лечащий врач: Нина Льингквист
E-mail: info@allencarr.se
Сайт: www.allencarr.com